À MOTS DÉCOUVERTS

Alain Rey

À MOTS DÉCOUVERTS

Chroniques au fil de l'actualité

Robert Laffont

La présente édition regroupe une partie des chroniques publiées dans l'édition complète À *mots découverts*, parue chez Robert Laffont en 2006.

L'auteur et l'éditeur remercient Claire Chevrier pour sa participation à l'établissement de cette édition.

ISBN 978-2-7578-0569-5
(ISBN 2-221-10543-5, 1re publication)

LE GOÛT DES MOTS

UNE COLLECTION DIRIGÉE PAR PHILIPPE DELERM

Les mots nous intimident. Ils sont là, mais semblent dépasser nos pensées, nos émotions, nos sensations. Souvent, nous disons : « Je ne trouve pas les mots. » Pourtant, les mots ne seraient rien sans nous. Ils sont déçus de rencontrer notre respect, quand ils voudraient notre amitié. Pour les apprivoiser, il faut les soupeser, les regarder, apprendre leurs histoires, et puis jouer avec eux, sourire avec eux. Les approcher pour mieux les savourer, les saluer, et toujours un peu en retrait se dire je l'ai sur le bout de la langue – le goût du mot qui ne me manque déjà plus.

Ph. D.

À Ivan Levaï,
Louis Bozon,
Stéphane Paoli

2000

18 *septembre* : Jeux Olympiques de 2000
22 *septembre* : La cassette Méry et l'indignation du président
29 *septembre*, 11 *octobre*, (et voir **8 *juillet* 2002) :** Suspension des sanctions pénales pour les élus : débats sur l'amnistie
9 *octobre* : Ehud Barak presse Arafat
31 *octobre* : Pollution marine
6 *novembre* : Tempête de novembre
7, 9, 22 *novembre*, 13 *décembre* : Élection présidentielle aux États-Unis
10 *novembre* : Les suites de la « vache folle »
21 *novembre* : Sommet de La Haye sur la pollution
28, 30 *novembre* : Révision de la loi sur la bioéthique
6, 11 *décembre* : Sommet européen de Nice

Médaille

Malgré les difficultés de la vie sociale quotidienne, malgré les violences que l'on signale un peu partout sur la planète, ou peut-être à cause d'elles, il faut parler de ces jeux Olympiques qui tentent de passionner et de distraire le monde entier.

Chaque nation bombe le torse, pour faire place à un joli plastron de médailles. La multiplication des disciplines et donc des trophées a sans doute pour objet de valoriser sans cesse plus de sports et d'exercices, mais aussi de répartir plus largement l'or, l'argent et le bronze qui vont avec.

Médaille, mot italien passé en français à la Renaissance, vient de la désignation modeste, en latin, d'une monnaie, une demi-monnaie, en fait, puisque le mot *medialia* vient de *medius*, « demi ».

Le même terme latin avait donné en ancien français le nom de cette menue monnaie dont il est question dans *n'avoir ni sou ni maille*, et *avoir maille à « partir »* – à partager.

La médaille prit du galon en Italie, devenant un demi-denier, le denier étant une assez jolie somme. Comme cette monnaie était ornée de la frimousse d'un personnage illustre ou puissant, elle a pris le sens que nous connaissons : à la fois œuvre d'art et symbole honorifique.

À partir de là, il y eut le temps des médailles saintes, celui des médaillés militaires, celui des profils de médaille, car de grands sculpteurs y gravent de nobles têtes. Quand ils les gravent d'un seul côté, cela entraîne le non moins célèbre revers de la médaille.

Celles des jeux Olympiques sont par définition sans revers. Elles représentent une excellence manifestée par les meilleures performances dans une réunion mondiale des meilleur(e)s athlètes. Certes, le père des Jeux modernes, Pierre de Coubertin, avait raison de rappeler que l'important est de participer, mais la faiblesse humaine fait que médaille vaut mieux que participation. La France, paraît-il, est déjà joliment médaillée, cette année. Réjouissons-nous, car nos sportifs le méritent, et pour notre fierté nationale. Cependant, le mérite sans médaille, qui n'est pas moindre, ne devrait jamais être oublié.

18 septembre 2000

Essence

L'essence ne quitte pas la une des journaux, ni les préoccupations de ce qu'on pourrait appeler le *consomobile*, « consommateur de mobilité motorisé ». L'essence, c'est essentiel : on dirait un mauvais slogan publicitaire, mais ce n'est qu'une tautologie. En effet, *essentia* vient tout droit du verbe latin *esse*, qui, par un dérivé populaire, *essere*, nous a donné *estre*, *être*. Désignant la nature de toute chose, le mot *essence* s'est appliqué à l'alchimie, activité à la fois pratique et symbolique, presque philosophique.

Recherchant la pureté absolue des substances qu'ils cuisinaient, les alchimistes appelèrent *essentia*, *essence*, le produit d'une distillation. Cinq opérations de purification : c'était la quinte-essence. Au XVIe siècle, ces essences matérielles étaient donc affaire d'alchimistes : on parle toujours d'essences dans le domaine des parfums et certaines essences végétales s'appellent encore des huiles *essentielles*.

Comme *pétrole* veut dire « huile de pierre », l'huile essentielle la plus essentielle devint au XIXe siècle l'essence de pétrole.

Du coup, les savantes dissertations des philosophes sur l'essence, l'existence et le néant, sujets aussi profonds que les cuves des grandes raffineries, prennent un sens inattendu. « L'existence, disait Sartre dans un raccourci saisissant, *précède* l'essence. » On ferait bien de prendre cela au sens pétrolier du mot, car souvent, ces temps-ci, l'essence semble tout précéder, y compris l'existence même.

Joli symbole de la domination de la technique et de l'économie sur les valeurs humaines, cette essence nous obsède, car il en faut pour se déplacer et il faut se déplacer pour exister, dans cette société qui a fait exploser les proximités d'autrefois. Résultat du tout-automobile, comme on dit, l'essence devient l'emblème du besoin vital. Piétons, cyclistes et patineurs n'y changent pas grand-chose, ni même la voiture électrique : l'essence est reine et grâce au jeu de l'économie aujourd'hui d'essence libérale, des poches petites et nombreuses se vident, pendant que de très grosses poches se remplissent : n'est-ce pas, M. Shell, qu'on aime nettement moins ?

19 septembre 2000

Abracadabrantesque

Une vidéo accusatrice, mais posthume et sans valeur juridique, cela paraît mineur : un non-événement. Mais non, c'est un énorme pavé dans l'aquarium politique élyséen. La réaction morale, qui suscite les mots de l'indignation, n'a pas suffi. On a donc entendu dans la bouche du président un mot inattendu, que la plupart ont cru inventé pour l'occasion : *abracadabrantesque*. Frappant, sonore, imprévu, certes, mais nouveau, sûrement pas, puisque l'un des plus grands poètes français l'emploie.

Dans « le Cœur volé », que vous trouverez dans toutes les éditions de Rimbaud, on peut lire :

> Ô flots abracadabrantesques,
> Prenez mon cœur, qu'il soit lavé !

Le cœur politique aurait besoin d'une sérieuse purification, en effet. Rimbaud, toujours voyant, n'avait pas inventé ce monstre. La longueur expressive de cet *abracadabrantesque* exprime un étonnement stupéfait. Jacques Chirac aime le pouvoir (des mots) ; il ne violente pas la langue française.

Au-delà de la dénégation, de la surprise, de la colère – réactions affectives et morales –, les allégations de M. Méry suscitent des questions logiques. Sont-elles vraies ou fausses ? Sont-elles vraisemblables ou pas ? Sont-elles absurdes, folles, extravagantes – on dit sottement « surréalistes » – autrement dit *abracadabrantesques* ? Ce mot, les romantiques l'avaient forgé sur une formule magique.

Inepte, vide, simple cliquetis sonore, cet *abracadabra* ? Pas du tout. Mais magique et antique, car les Grecs le connaissaient : il venait de l'hébreu kabbalistique. Pas absurde, mais inquiétant, *l'abracadabra* signifierait : « le Quatre (*'arba*) casse (*dak*) le quatre ». *'Arba* lu à l'envers donne *abra* : du verlan, déjà ! Obscur ? Pas forcément. Le quatre pourrait bien être le nom de Dieu, le tétragramme, quatre lettres. Et ce qu'il anéantit, ce serait les quatre éléments, c'est-à-dire le monde sensible, les choses existantes. C'est pourquoi *abracadabra*, « ce beau mot », disait Ambroise Paré, pouvait guérir.

Ce qui est *abracadabrant*, et même *-brantesque*, est incompréhensible, absurde en apparence, mais aussi efficace, magique, destructeur. L'indignation suffira-t-elle à neutraliser cette magie noire ?

22 septembre 2000

Repentance

Amnistie était donc un mot malheureux qui révulse aujourd'hui les parlementaires du RPR et dont, selon Jean-Louis Debré, les trois syllabes n'ont jamais été prononcées[1]. Nous avions sans doute rêvé. Incapables de nous réveiller, nous avons hier cru entendre, ou plutôt lire, sous la plume de Philippe Séguin, la pieuse musique de la repentance. On nous l'avait jouée, cette musique, à meilleur escient, à propos des erreurs du passé chrétien, et on ne voit pas quelle présence historique – nationale, religieuse, idéologique, politique – pourrait ne pas susciter le souvenir pénible et la reconnaissance assez peu spontanée, il faut le dire, des erreurs et des fautes passées.

Se *repentir*. Ce verbe contient le latin *pena*, « peine », et devrait aboutir à la pénitence. *Amnistie*, c'est un oubli programmé. Restent quelques possibilités pour exprimer l'impossible regret du passé et l'aveu collectif que beaucoup n'acceptent pas, car ils ne se sentent pas concernés. Ce serait par exemple la *résipiscence*, autre mot religieux qui exprime aujourd'hui le repentir, mais qui voulait dire en latin « retour à l'intelligence, au bon jugement » après un moment d'aliénation mentale.

1. Les médias avaient fait état d'une proposition qui visait, pour les élus, la suspension des sanctions pénales et l'immunité pour délits politiques. Certains avaient parlé d'« amnistie ». Voir la chronique du 11 octobre : *Immunité*.

Ce qui est curieux, dans ces retours de mémoire accompagnés de culpabilité, c'est qu'ils supposent des actes critiquables, aujourd'hui reconnus, mais qui ont occasionné une longue amnésie. Les hésitations entre retour de mémoire, retour de conscience et retour de raison sont normales. Il s'agit en somme de reconnaître ce qu'on aurait préféré oublier.

Le vrai problème est la répartition des responsabilités. Certains sont en cause et sont gênés aux entournures ; d'autres, solidairement engagés par la politique, sont ou se voient blancs comme neige. Or, nul ne veut blanchir de l'argent propre. On comprend que des mots comme *amnistie* ou *repentance* sonnent désagréablement à de chastes oreilles. Avouer des fautes commises par d'autres ne plaît à personne ; chacun a assez des siennes. Ce qu'on reproche à la formule Séguin, c'est plus le caractère général de la repentance que sa nature. Il faut se méfier des amalgames : tous repentants, tous amnistiés, tous pourris ? On a tout faux !

29 septembre 2000

Start-up

Plusieurs auditrices et quelques auditeurs se préoccupent du vocabulaire d'Internet, qui devient de plus en plus incontournable, comme on dit, mais qui nous asperge d'un franglais indiscret.

L'une des questions qui revient le plus souvent, à côté des *e-mails* qu'on aime traduire en *courriels*, à la québécoise, est celle du remplacement possible de *start-up*. Ces jeunes sociétés avides de profit et qui se développent avec une rapidité impressionnante ont paresseusement conservé dans notre langue si accueillante leur désignation américaine. Nous connaissions déjà quelques mots issus du verbe anglais *to start*, qui signifie « partir, démarrer », par exemple le *starter* des automobiles et celui des stades, ou encore la *starting gate* des champs de courses. *Start-up*, que vous pouvez toujours prononcer « startupe » pour montrer que vous savez l'écrire, ne veut pas dire grand-chose de précis. Le vocabulaire des affaires et de la finance américaines utilisait le mot bien avant les « nouvelles technologies » et la « nouvelle économie » (qui ne peut être qu'une *new economy*...) à propos de sociétés pétrolières à développement rapide. Aucune idée de jeunesse ni de croissance, comme dans le gracieux « jeune pousse » que l'Administration française favorise, mais simplement un démarrage rapide.

Il semble que la Bourse suggère aux Français des idées botaniques et jardinières, puisque l'une de mes correspondantes me suggère par une carte postale exotique et charmante le mot *turion*. Ce latinisme de botaniste existe en effet depuis le XVIe siècle et signifie justement « jeune pousse » ; il est bref, sonore, mais un peu rare et précieux. Il évoque, parmi les végétaux, les bourgeons de ce qui va devenir succulent, l'asperge. Si le ou la start-up – grand inconvénient de l'anglicisme, le genre flottant – est, à son démarrage, un turion, il ou elle pourra devenir une grande asperge, ce qui n'est pas forcément la gloire. Décidément, ce turion latin serait plus goûteux et plus ironique que la banale *start-up* franglaise.

4 octobre 2000

Ultimatum

Le mot *ultimatum* résonne assez sinistrement aux oreilles européennes. C'est avec un ultimatum adressé par l'Autriche à la Serbie que commença la guerre de 1914. Avec le recul, le contenu de cet ultimatum nous paraît léger : la requête autrichienne de participer, à Belgrade, à l'enquête sur l'attentat de Sarajevo, où l'archiduc François-Ferdinand d'Autriche venait d'être assassiné. Sur le refus de la Serbie, l'Autriche lui déclara la guerre et la machine infernale se mit en marche.

L'histoire nous apprend donc qu'un ultimatum peut être un prétexte ou une affaire symbolique. Ehud Barak somme Yasser Arafat d'accomplir une mission impossible : arrêter dans l'heure la violence créée par des années de conflit ouvert ou larvé. Sinon, représailles.

Pourtant, rien ne dit « menace », dans le mot *ultimatum*. Au Moyen Âge, on disait en latin *ultimatum consultum*, « décision définitive ». Le mot est dérivé de *ultimus*, « le dernier », *ultime*, mot apparenté à *ultra* qui, nous ne le savons que trop, signifie « extrême », ou plutôt « extrémiste ».

Mais l'ultimatum, dernière décision, devint rapidement « décision irrévocable », ce qui, dans un contexte de conflit, a vite tourné à la menace. Moins agressif en apparence, *ultimatum* signifie cependant : « Si, après tel bref délai, tu ne me cèdes pas, je cogne. » Voilà ce qu'est devenu, en français, ce mot latin, au tournant du XIXe siècle. Un certain Napoléon, puis quelques souverains coalisés contre lui y sont pour quelque chose. Enfin, ce qui est ultime peut devenir atroce : il faut se souvenir du sens qu'avait pris dans l'Allemagne nazie l'expression que nous traduisons par *solution finale*.

L'ultimatum va du plus fort vers le plus faible, sinon il est dérisoire. C'est ce qui le rend, dans tous les cas, si déplaisant. On ne parlera pas d'ultimatum à propos de la demande pressante des familles des morts du Concorde écrasé pour obtenir une proposition d'Air France : là, au moins, pas de menace militaire. Parfois, l'usage dominant du mot rejoint le calembour ; un jour, l'ultime atome pourrait devenir l'arme définitive.

9 octobre 2000

Immunité

Controverses, pas toujours juridiques, autour de l'immunité présidentielle[1]. Cette immunité-là, à la fois exemption et protection contre les actions

1. Voir la chronique du 29 septembre : *Repentance*.

pénales de droit commun, n'est pas la seule. L'immunité parlementaire, l'immunité diplomatique, elles aussi, peuvent poser quelques problèmes. *Immunité*, qu'est-ce à dire ? Quand le mot apparaît, il y a plus de sept siècles, c'est pour désigner une exemption. Il n'y a plus, en principe, d'immunité fiscale. *In-munitas*, c'est la négation (*in-*) des charges habituelles. Charge partagée, c'est *cum-munis*, « commun ». L'immunité est contraire à la communauté.

Immunité, donc, est devenu un terme précis de droit constitutionnel avec la IIIe République. Précis, mais sujet à interprétation. À peu près à la même époque, le mot devient médical et on lui fabrique tout un vocabulaire d'accompagnement : *immun* par exemple, reprise d'un mot ancien, qui correspondait à « exempt d'impôt », puis à « indemne ».

On ne dit pas que le président de la République française est *immun*. Il serait pourtant commode de parler d'*immunosuppression* pour une révision des règles constitutionnelles en ce domaine ou bien de réactions *immunitaires* à propos de la défense de l'immunité par ceux qui en bénéficient.

Mais autant la maladie, qui attaque les immunités biologiques qui nous permettent de vivre, est injuste et odieuse, autant les immunités devant la justice sont ambiguës ; en effet, elles soulignent des situations symboliques qui devraient échapper à toute mise en cause personnelle. Mais ces situations sont fortement compromises par les enjeux politiques, car elles s'appliquent non à des entités abstraites, mais à des personnes, hommes ou femmes politiques. Et il n'y a pas d'immunité face à l'opinion. La notion même d'immunité est-elle compatible avec celle de justice ? Question à nombreuses facettes, dont la principale pourrait bien être morale.

11 octobre 2000

Discrimination

Au milieu des sujets qui fâchent, il y a au moins une nouvelle encourageante, c'est la volonté de tuer les discriminations à l'embauche. Lutter contre les discriminations, c'est évidemment s'attaquer à des préjugés et à de mauvaises habitudes. Au départ, le verbe *discriminer* est plutôt savant. Pris au latin, il est formé sur une forme du verbe *discernere*, « discerner ».

Discrimination fut d'abord un terme de grammaire et de science, une variante plus chic de la distinction entre deux choses, de la séparation entre deux objets de pensée. Opération nécessaire et parfaitement morale : personne ne songe à critiquer les mathématiciens qui se servent de discriminants pour résoudre une équation.

Malheureusement, quand ce mot rare et savant est devenu courant, il s'est appliqué brutalement aux groupes humains. Il n'y a pas discrimination, au sens banal du mot, quand on distingue deux personnes. Si cette possibilité disparaissait, on serait dans un monde sinistre de clones.

Mais lorsqu'on prétend, sur des différences collectives, comme l'origine ethnique, les mœurs sexuelles ou tout simplement le fait d'être femme ou homme, créer des hiérarchies fondées sur les préjugés, la discrimination devient racisme, sexisme, homophobie, c'est-à-dire intolérance et injustice. Car l'appartenance à un groupe humain n'est un handicap que dans la tête de ceux qui veulent un monde fait de cases étanches.

Il est dommage que le mot *discrimination*, qui était en principe une forme de discernement, soit devenu tout le contraire. Au lieu de distinguer et de choisir des qualités personnelles, les discriminateurs pratiquent la confusion mentale, le simplisme et, pour être franc, la connerie. Car comment qualifier un jugement par étiquette précollée qui vient remplacer une appréciation rationnelle – et humaine[1] ?

12 octobre 2000

Affrontement

Certains euphémismes sont commodes. L'euphémisme évite de nommer directement le réel, ce qui demande des termes forts, et plus nombreux.

Le mot *affrontement*, qu'on emploie à propos de toutes sortes de conflits et de combats, depuis la rixe jusqu'à la guerre, ne devrait s'appliquer qu'à

1. En ce mois d'octobre de l'an 2000, la discrimination positive n'était pas encore à la mode.

un face-à-face : c'est un « front à front ». Bizarrement, quand on forme le verbe *affronter*, au Moyen Âge, c'est au contraire un mot violent : affronter un ennemi, c'était l'abattre en le frappant au front. Mais très rapidement, on est passé à des emplois plus doux, comme « offenser quelqu'un », d'où vient *affront*.

C'est surtout l'idée de rencontre frontale qui l'a emporté, avec celle de franchise. Et il est vrai que l'affrontement d'adversaires politiques n'est pas synonyme de violence brutale, mais de rencontre franche. Elle exclut les hypocrisies, les détours, les allusions perfides auxquelles la politique nous a habitués.

Par ailleurs, rien de plus tonique que l'attitude qui consiste à *affronter* les difficultés et à regarder les choses en face, au lieu de pratiquer la politique de l'autruche. Ces emplois d'*affronter* et d'*affrontement* utilisent l'image du front pour exprimer le franc courage. Lorsqu'il s'agit de violences réciproques, cette image n'est pas toujours méritée. Alors, sans s'occuper des effets d'un courage belliqueux, qui consiste à se jeter sur l'adversaire pour lui écraser la tête, on parle de manière un peu légère d'affrontements comme s'il s'agissait de violences sporadiques et sans grande importance. Vexé d'être employé à la légère, le mot se venge lorsqu'un combattant ou un passant, dans ces rencontres armées, reçoit une balle en plein front. Alors, l'affrontement redevient horrible et perd toute qualité humaine. Comme si se manifestait, dans l'usage de mots « politiquement corrects », une sorte de retour du refoulé.

17 octobre 2000

Tempête

Aux habituelles rafales d'informations que nous réserve l'actualité, aux petites et grandes tempêtes sous les crânes ou dans l'opinion, les hasards de la météo ajoutent une vraie tempête de vent et de pluie. Nous avons souvent l'impression que ces tempêtes, de plus en plus fréquentes, sont l'indice du dérangement de l'atmosphère par les excès de l'activité humaine. Le lien profond et naturel entre *temps* et *tempête* se manifeste dans ces deux mots. *Tempestus*, dérivé normal de *tempus*, « le temps », a voulu dire « morceau de temps, moment », et aussi « température ». Ces sens étaient neutres, le *tempestus* pouvant être agréable aussi bien que désastreux.

Mais on a besoin de désigner simplement les choses bonnes ou mauvaises. Quant aux effets du temps qu'il fait, il est vrai qu'on en parle encore plus quand il pleut, qu'il vente et qu'on a froid que lorsqu'on est à l'aise dans un air agréable.

Peut-être parce qu'il faisait nettement moins beau en France ou en Angleterre que dans les entours de Rome, l'anglais *tempest* et le français *tempeste* se sont spécialisés pour un très mauvais temps, perdant le sens général du latin. Même les expressions *sale temps*, *mauvais temps* ne rendent pas compte de cette *tempête* qui évoque un vent furieux, en rafales et bourrasques. Le même phénomène se produit dans l'actualité politique, souvent tempétueuse et mal tempérée.

Si on ne peut que prévoir les tempêtes concrètes et réparer leurs dégâts, en politique, une attitude bien tempérée pourrait seule calmer les violences et les agitations. L'opinion américaine, sans parler des candidats, est prise dans une tempête médiatique, d'ailleurs pas bien méchante et dont on est sûr qu'elle va se calmer dès qu'on connaîtra la couleur du temps à venir. D'autres avis de tempête dans le monde sont plus angoissants. L'ennui, c'est que la météo ne distribue ni imperméables ni parapluies de même que l'information sans précautions ne protège de rien.

6 novembre 2000

Coude à coude

Ils sont au coude à coude, les deux marathoniens des élections étatsuniennes. Autrement dit, plus ils courent vite, moins il y a d'écart entre eux. Côte à côte, flanc à flanc, jambe à jambe, mais pas tête à tête, ni pied à pied, voyez comme le français est une langue difficile, ce qui explique peut-être que les Américains du Nord, à l'exception des vaillants Québécois, préfèrent l'anglais.

Pour *coude à coude*, l'étymologie ne marche pas non plus : Al Gore et George Doublevé ne sont pas cubitus à cubitus : ce serait par trop chirurgical.

Au fond, le coude n'est pas mal choisi : d'abord cette partie du corps qui limite l'avant-bras fut une mesure de longueur, la coudée. Et puis le mot *coude* suggère d'autres expressions, parfois un peu agressives : employer *l'huile de coude* est le fait de gens énergiques, *jouer des coudes* est pour ceux qui ne se laissent pas faire. Le coude est partout. Ces deux politiciens qui courent après la Maison-Blanche ne se mouchent pas du coude, et l'un d'eux, a-t-on dit, avait autrefois levé le coude, mais ça, c'était un croc-en-jambe pour George II, pas un croc-en-coude.

Quand on est au coude à coude, c'est qu'il y aura photo à l'arrivée. Après quoi, l'un des candidats se verra élu par la totalité des grands électeurs de chacun des États et il aura la majorité. Tout au vainqueur. Les minorités, même de 49,9 pour cent, sont tenues *sous le coude*.

Pour le moment, le coude à coude crée le suspense : républicains et démocrates peuvent rêver, les uns d'États-Unis sans impôts où les classes moyennes s'enrichiront, les autres d'une protection sociale où l'on se tiendra un peu mieux les coudes. Et tous aimeraient se faire, sauf votre respect, des coudes en or, grâce à une supercagnotte virtuelle, pour le moment incontrôlée. Mais ce fut une bien honnête campagne, correcte, presque pieuse. Pour les deux soldats de la démocratie, c'était, en termes militaires : au coude à coude, au centre, alignement !

De toute façon, le président élu n'aura pas forcément les *coudées franches* : d'autres coudes à coudes sont prévus.

7 novembre 2000

Dépouillement

Les Étatsuniens d'abord et le reste du monde qui observe restent le bec dans l'eau, en ce qui concerne l'élection présidentielle. On attend, on ne sait pas, on s'étonne d'un système électoral bizarre et, pour s'en sortir, on dépouille.

L'emploi du mot *dépouillement*, à propos de l'analyse des résultats d'une élection, était imprévisible. En effet, *dépouiller*, qui vient du latin *spoliare*, repris par *spolier*, concernait plutôt les brigands dépouillant leurs victimes, leur prenant leurs vêtements et leurs biens. Aujourd'hui, on taxe. On aurait compris que *dépouillement* s'applique à la perception des impôts, mais non, c'est l'idée d'examen minutieux qui l'a emporté. Il est vrai que lorsque des pillards avaient bien dépouillé une ville, il fallait compter la prise pour la répartir. L'examen des bulletins de vote, même honnête et sincère, comme on dit, continue à s'appeler *dépouillement*, à côté de *décompte*, plus neutre.

En Floride donc, on dépouille avec ardeur, pour arriver à une majorité. On aurait cru l'opération simple, avec deux candidats. Mais précisément, c'est cette arrivée du républicain et du démocrate dans un tout petit *mouchoir*, mot qui vient de *moucher* comme *trottoir* vient de *trotter*, qui rend le dépouillement litigieux. Pensez : un président élu avec une voix floridienne d'avance, qui lui donnerait un paquet de grands électeurs, alors qu'il est minoritaire – de fort peu – en suffrages des « petits électeurs », alias le peuple ! Les braves citoyens des États-Unis sont sans doute fascinés, comme disait Bill Clinton, mais aussi éberlués et un peu inquiets. Alors, on cherche des responsables : haro sur les médias, sur le vieux système des grands électeurs, sur les vétustes machines à voter. Ironie du sort : les médias, en se trompant, contribuent au suspense et à la fascination : ils en tirent profit. Et la Floride dépouillante devient l'occasion d'un scénario d'incertitude très attrayant. En attendant, le citoyen se sent dépouillé des effets de sa volonté : la démocratie s'exprime : elle bégaye.

9 novembre 2000

Fou

Bien fol est qui s'y fie. Au centre du problème médical qui fait craindre une maladie affreuse, il y a des éléments rationnels insuffisants et des éléments irrationnels envahissants.

La langue anglaise, qui s'est trouvée confrontée la première à cette épizootie bovine, a inventé une expression simple : *mad cow disease*, « maladie de la vache folle ».

Reprise en français avec succès, *vache folle* remplace le nom savant de la maladie. J'entendais, ce matin même, sur cette belle antenne, un enfant qui disait : « Moi, j'en mange plus, de la vache folle », donnant à l'expression le sens de « steak », voire même de « viande ». Folle, forcément folle la viande rouge, notre steak frites tutélaire ? Dès lors, une question se pose : est-ce la vache, le bœuf, tous les bovins, est-ce la viande qui sont frappés de folie, ou bien l'opinion, les médias, nous tous ? En somme, c'est folie vachère contre psychose humaine. Derrière les connaissances scientifiques, d'une insuffisance dramatique, comme dans toute étape de la recherche, il y a les peurs humaines, les simplifications, le désir précipité de comprendre, de réagir, d'échapper à des dangers mal évalués. Un peu de sagesse, qui conduit à la précaution ; beaucoup de folie.

L'adjectif *fou* ne s'emploie plus en psychiatrie. Pourtant, le mot se porte à merveille et se dit mille fois par jour, parfois de manière sympathique : *plus on est de fous, plus on rit* ; *on s'amuse comme des petits fous*. Cela vient de loin, puisque *fou* vient du latin *follis*, « le soufflet pour le feu, le ballon gonflé ». Non pas « déraisonner », mais « souffler, gonfler ». Le fou a le cerveau comme un ballon, la tête légère, le raisonnement creux. *Fou* n'est pas un mot objectif, médical, mais la marque de l'excès déraisonnable : on dit *un monde fou*. Côté États-Unis, l'élection présidentielle est devenue complètement folle. Côté vache, c'est la peur excessive d'une maladie en effet atroce, mais heureusement rare et dont la cause est mal connue. Le prion est un mystère.

La raison s'y perd. La maladie la plus proche de l'ESB, la tremblante du mouton, ne faisait peur à personne. Un mal voisin, frappant les bovins, terrorise. En parlant de *folie*, à propos de la vache, animal doux et maternel, les mots ont déclenché d'obscurs fantasmes. Quelle vacherie !

10 novembre 2000

Demeure

À propos des problèmes de pollution et d'échauffement de la planète, solennellement et péniblement débattus en ce moment à La Haye, le président Jacques Chirac a déclaré, non moins solennellement, qu'il y avait *péril en la demeure*. Cette expression, qui n'est pas toujours bien comprise, s'applique pourtant à d'innombrables situations. *Péril* est clair pour tout le monde. Mais *demeure* ? Pour nous, c'est un lieu de séjour, une belle maison, un bâtiment où l'on réside. Un peu prétentieux, d'ailleurs, *demeure* et *résidence*, par rapport à *maison*, ou *appart'*.

On sent bien que dans *mettre quelqu'un en demeure* de faire quelque chose ou dans *il y a péril en la demeure*, ce n'est pas de local d'habitation qu'il s'agit. Mais alors, de quoi ?

Tout simplement, du fait de *demeurer*, de rester, de ne pas bouger.

Le composé latin *demorari* signifiait « tarder, s'arrêter » et venait de *mora*, « le retard », mot que la langue française a récupéré dans les *moratoires*. *Demeure* vient de *demeurer* comme *bouffe* de *bouffer* ou *gratte* de *gratter*. Le mot *demeure* ne s'est pas plu dans ce sens, trop abstrait, et il est passé au concret, pour domicile, logis. Il est vrai que la demeure, comme le retard, ce n'est pas très stimulant. À preuve le sens déplaisant pris par l'adjectif *demeuré*, qui ressemble à retardé, arriéré, et qui signifie « idiot ».

Péril en la demeure, donc, c'est « danger à en rester là, à ne rien faire ». L'expression pourrait être universelle en politique. Mais si le contraire de la *demeure* peut être l'action, c'est parfois aussi l'agitation, voire la réaction. Et *demeurer*, rester, continuer, ce n'est déjà pas si mal, s'il s'agit de se maintenir en vie, par exemple. Entre *péril en la demeure* et ses contraires, il s'agit de trouver un moyen terme. Cela peut s'appeler réforme ou révolution, de velours, bien sûr. Et c'est parce qu'il y a maintenant péril en la demeure, ce dont Stéphane Paoli, l'œil vissé à la pendule, est persuadé, que je m'arrête de tchatcher.

21 novembre 2000

Manuel

On l'a appris ce matin aux petites heures, et la nouvelle venait de la capitale de la Floride. Si on ignore encore le nom du prochain président des

États-Unis, on sait qu'il sera fignolé à la main, qu'il sera « manuel ». Le recomptage manuel des bulletins de vote va donc se poursuivre jusqu'à ce que président s'ensuive. *Manuel*, c'est « fait ou obtenu à la main ». Cela peut s'opposer à *automatique*, mais aussi, s'agissant des êtres humains, à *intellectuel*. Les travailleurs dits *manuels* ne sont pas les seuls à se servir de leurs bras et s'ils travaillent avec leurs mains, ça ne les empêche pas de penser. Les plus manuels des manuels, ce sont les peintres et les sculpteurs.

Donc, le dépouillement électoral dans les comtés litigieux de cette Floride ensoleillée est redevenu manuel. Ce qui ne veut pas dire qu'il était intellectuel auparavant. Quand *manuel* s'oppose à *automatique*, c'est plutôt un bon adjectif. La dentelle « à la main », c'est ce qu'il y a de mieux. Les politiques étatsuniens ne font pas forcément dans la dentelle, et utilisent tous les moyens de l'automatisme et de l'informatique, mais voilà, cela ne suffit pas toujours.

Pour savoir comment chacun a voté en Floride, ce qui paraît assez élémentaire, la technique n'a pas trop bien marché. On en est donc revenu à la main et à l'œil humains. D'accord, c'est long et fastidieux ; mais apparemment, c'est plus exact. Pourtant, manuels ou pas, les dépouillements n'évitent pas les automatismes politiques, qui remplacent un peu trop souvent la liberté de jugement.

Un président en partie manuel sera-t-il plus démocratique qu'un président automatique, technologique, un peu Nasdaq ?

Quant à savoir s'il sera républicain ou démocrate, le manuel du petit citoyen des États-Unis ne le dit pas ; les comptes manuels en viendront seuls à bout.

22 novembre 2000

Bioéthique

Une révision de la loi sur la bioéthique est en discussion. Le Comité national d'éthique a été consulté sur l'interruption volontaire de grossesse ou IVG, mais ce pourrait être aussi à propos du clonage ou de l'euthanasie. La vie, la maladie, la naissance, la mort et le mourir, qui fait partie de la vie, autant de phénomènes *biologiques*, du mot grec *bios*, qui désigne la vie – cette notion obscure – et plus précisément le mode de vie humain, manière de vivre et non pas simple fait de vivre. On est tout près de l'« humanistique » d'Albert Jaccard, parente un peu pesante du bon vieil *humanisme* – je parle des mots.

Le composé *bio-éthique*, apparu au début des années 1980, marie cette idée de « façon de vivre » à celle d'*éthique*, variété savante de la morale. *Éthique* vient du grec *êthikos*, adjectif de *êthos*, mot qui désigne la manière d'être habituelle. On le voit, à la base de l'éthique, il n'y a pas, essentiellement, le bien et le mal, mais plutôt la façon individuelle et collective de se comporter, la conscience, le caractère et les mœurs – à prononcer *meur'*, car on ne dit pas *les fleurss*. Les mœurs, c'est donc le latin *mores*, qui correspond au grec *êthos*, et qui a pour adjectif *moralis*, d'où *moral*. Nous y voilà : comme adjectif, *éthique* correspond à *moral*. Mais comme nom, *la morale* a trop souvent été confisquée par les croyances, les habitudes de pensée de chaque civilisation, en particulier par les religions, qui définissent une bonne fois pour toutes ce qui est bien et ce qui est mal. De là une ambiguïté, dont a été protégé le mot *éthique*. La plus célèbre réflexion sur la manière humaine de se comporter, *L'Éthique* de Spinoza, est certainement une morale, mais pas un catéchisme.

Nos problèmes de société ont tous un aspect éthique. Il en va ainsi du travail nocturne des femmes, de l'allongement du délai de l'IVG... Tout ce qui concerne la vie et la mort humaines a un aspect moral. Avec les progrès des techniques biologiques, il fallait bien contrôler la soif scientifique de connaissance et d'action sur la nature, soif excessive assez souvent, par les valeurs morales. Le mariage de la science de la vie et de la morale, c'est précisément la bioéthique, mot qui dit et répète avec François Rabelais : « science sans conscience n'est que ruine de l'âme ».

28 novembre 2000

IVG

Dans le domaine de la planification des naissances, maladroitement appelé « planning familial », les mots reflètent l'évolution des attitudes.

En quelques décennies, on est passé de termes dépréciatifs, comme *avortement*, à un sigle descriptif et neutre, celui de l'« interruption volontaire de grossesse » : *IVG*, qu'on pourrait écrire *ivégé*. Même *fausse couche*, qui vient de l'expression très ancienne « être *en couches* », à propos d'une femme alitée pour cause de fin de grossesse, avait et a toujours un aspect déplaisant.

IVG, c'est donc interruption, rupture d'un processus, celui-ci étant désigné par un mot d'origine populaire, *grossesse*. L'adjectif *gros*, au féminin, avait pris dès le Moyen Âge le rôle d'un euphémisme pour *enceinte*. L'état d'être « grosse », dans ce sens, fut nommé *grossesse*, *grosseur* ayant d'autres emplois. *Grossesse* est donc un peu machiste et ironique au départ – mais c'est oublié.

« Interruption de grossesse » désignant plus correctement l'avortement, il était essentiel que la loi, en l'autorisant, la considère comme devant être volontaire. Avant tout, respecter la volonté, la liberté de celles qui doivent décider, souvent difficilement et douloureusement, d'enfanter ou non. Dans IVG, c'est le V qui est humaniste et éthique. Rien à voir avec ces politiques autoritaires et discriminatoires des naissances qui ont pris dans le passé le nom d'*eugénisme*, sous le prétexte d'améliorer l'espèce humaine. Cette intention, louable en soi, mais facilement dévoyée, est aujourd'hui incarnée dans les manipulations génétiques et le clonage. Et même un clonage humain volontaire (CHV ?) ne rassurerait pas. Question : comment respecter la volonté et la liberté de toutes et de tous au milieu des volontés de puissance, de succès et de gain qui entraînent la science et la technique et avec elles, la société ? L'IVG montre la voie.

30 novembre 2000

Préservatif

Le point commun entre *précaution*, *prévention* et *préservation*, mots essentiels en plusieurs domaines, c'est *pré-*. Comme en latin, *pré-* indique en français l'avenir, ce qui ouvre une infinité de perspectives. La prévision est d'ailleurs l'un des critères de la science, si je ne me trompe.

Le principe de précaution, souvent évoqué quand il est trop tard pour l'appliquer, concerne une attention prudente, ce que dit le latin *cautio*, du verbe *cavere*. La prudence reste passive, et on pourrait préférer un principe de *prévention*, mot qui signifie « venir avant, prendre les devants ». Prévenir, dit le proverbe, vaut mieux que guérir, et cela conduit à la préservation, qui concerne la mise à l'abri et la sauvegarde d'un mal. *Servare* ne voulait pas dire « servir », mais « faire attention de manière à conserver ou à sauver ». La précaution, en termes familiers, c'est simplement faire gaffe : la préservation garde en bon état, elle ajoute l'action à la prudence.

Préservation conduit à *préservatif*. Cela a commencé par des mesures médicales et on a pu parler de *préservatif* pour tout ce qui protège de la maladie et même du mal moral.

Au milieu du XIXe siècle, avec la conscience des problèmes créés par la sexualité, le mot sert à traduire en français les termes importés d'Angleterre, comme *condom*. On parle encore de *capote anglaise*, ce qui rappelle l'origine du malthusianisme, première idée d'un contrôle des naissances. Mais, déjà chez Flaubert, le « préservatif » sert à protéger des maladies vénériennes – et ce diable de Gustave en avait bien besoin. Ce fut d'abord la protection contre la syphilis et c'est aujourd'hui la préservation du sida.

L'instinct de mort ayant suscité des attitudes suicidaires et criminelles, par lesquelles certains séropositifs refusent toute précaution – c'est un relâchement, en anglais *relaps* –, le sida cesse de reculer en Europe et en Amérique du Nord. Pour des raisons culturelles et sinistrement économiques, le sida envahit l'Afrique. Raisons culturelles encore et de tradition, le refus obstiné du Vatican d'accepter les préservatifs. Rien ne sert de se précautionner si on ne cherche pas à préserver les humains menacés. Si prévention et préservation ne s'ajoutent pas à la précaution, elles resteront des intentions pieuses sinon, comme cela vient d'être dit, un cache-sexe. Parodiant la formule de Rabelais, on a envie de dire : « conscience sans science, c'est la ruine du corps ».

1er décembre 2000

La rue

À Nice, à côté du sommet européen, un contre-sommet ; à côté du pouvoir politique représenté par quinze chefs d'État, les manifestations d'un contre-pouvoir. M. le maire de Nice n'est pas favorable à ces « contre » ; il leur laisse un espace, la rue, mais rien d'autre. D'ailleurs, a-t-il déclaré, « les contre-pouvoirs, ça n'existe pas ». Cette opinion a coûté la vie à bien des régimes autoritaires.

La rue, dans la tradition française, c'est le désordre, la manifestation bruyante : *descendre dans la rue* correspond à « s'opposer au pouvoir, faire la révolution ». La rue, en 1830, en 1848, c'était en France le contre-pouvoir opposé à l'ordre conservateur et bourgeois.

Le mot *rue* est « vieux comme les rues », comme on disait jadis. Il s'associe à la ville. C'est une image assez amusante, puisque *ruga*, le mot latin d'où vient *rue*, signifiait « ride, pli ». Les Romains du peuple disaient : « je vais prendre la ride » pour « je vais marcher entre les maisons ». Les rues permettent le passage ; elles sont comme des plis sur la peau rugueuse de la ville, mais aussi un espace de mouvement, parfois de liberté, au milieu des édifices, qui représentent alors l'ordre établi, les « foyers clos » que détestait le jeune André Gide.

Quand on n'a pas de logis, on vit dans la rue. Quand on manifeste et qu'on proteste, on y défile. Ceux qui sont douillettement à l'abri n'aiment pas ça : les enfants qui jouaient bruyamment dans les rues étaient appelés *gamins des rues*, sinon *voyous*, qui sont les gamins des voies. Les *filles des rues*, c'est tout de même étonnant, ne peuvent être en français que des prostituées.

Aujourd'hui, la rue n'est plus un espace de jeu, de liberté ou de refuge : elle est envahie par les voitures. Quand des manifestations, même pacifiques et réjouies, ce qui est souvent le cas, envahissent la rue, elles gênent la circulation et les automobilistes les maudissent. Pourtant, quand elle exprime la contestation, la rue cesse de polluer, mais il est vrai qu'elle peut se mettre à casser. Est-ce qu'on préférerait l'oxyde de carbone aux opinions critiques ?

À Nice, après Seattle et Millau, la rue va s'exprimer : aux puissants, les palaces et les salles de réunion ; aux pékins qui rouspètent, la rue. À Nice, la rue n'a pas l'habitude. Elle appartient plutôt aux promeneurs, touristes ou retraités. Une exigence d'Europe sociale sur la promenade des Anglais ? Le travailliste libéral Tony Blair doit en frémir. *Shocking*, n'est-il pas... ?

6 décembre 2000

À l'arraché

La réorganisation des institutions européennes, en vue de l'élargissement de l'Europe, a été difficilement obtenue à Nice. Après les nuits de discussions, d'affrontements et de compromis, un accord a été atteint, dit-on, à l'arraché. Cette métaphore exprime l'effort, comme pour tirer du sol ce qui y était enraciné. *Arracher*, verbe créé par la langue populaire, déforme le latin *ex-radicare*, repris par *éradication*. Mais *éradiquer* concerne les mauvaises herbes et les maladies, et signifie « supprimer », alors qu'*arracher* exprime l'effort préalable. *À l'arraché* est une métaphore sportive qui vient des haltérophiles. Il est vrai que le poids des habitudes existantes et les résistances de chaque pays, soucieux de conserver ses avantages, représentaient pour les leveurs d'haltères du sommet un défi redoutable. À certains moments, le concours sportif cédait d'ailleurs la place au défrichement difficile qu'exprime une autre expression courante, *d'arrache-pied*.

Ce qui a été arraché, c'est un *accord*, mot qui parle du cœur. Faut-il évoquer l'admirable *Arrache-Cœur* de Boris Vian ? Ce serait beaucoup trop pathétique. Partant du désaccord, il s'agissait d'accorder les violons. La musique ainsi produite sera moins cacophonique, mais il n'est pas sûr qu'elle annonce des lendemains qui chantent juste. Le président de la République a qualifié cet accord de « convenable », avant de rectifier par l'adjectif *bon*. Mais on sait bien que *bon*... n'est pas toujours très positif. « Bon, ça y est », c'est presque « ouf... ». En revanche, *convenable* n'est pas mal, quand cela signifie « qui peut convenir » – et il ne s'agit que de cela. En ménageant les avantages des pays grands et petits, l'accord est sans doute « convenable » pour l'Allemagne, pour la

Grande-Bretagne, un peu moins pour la France, la Belgique ou le Portugal. Mais est-il bon et convenable pour l'Europe présente et à venir, dans son ensemble ? L'arraché ne concernant qu'un compromis d'égoïsmes nationaux, ce n'est certes pas le décollage. Et puis, on sait ce que valent les promesses des arracheurs, même quand ils ne s'attaquent pas aux dents. Les solutions à l'arraché sont très tendance, ces jours-ci. Bush ou Gore, les États-Unis auront un président à l'arraché. L'avenir, bon ou pas, s'arrache. L'Histoire marche à l'effort.

11 décembre 2000

Sage

Les juges de la Cour suprême des États-Unis, qui viennent de rendre la décision que l'on sait[1], sont souvent appelés en français les « sages ». Les commentaires soulignent le caractère politique de la décision, cinq sages républicains contre quatre sages démocrates égalant un président républicain. Voilà la sagesse assimilée à une majorité politico-arithmétique. Et surtout une sagesse en morceaux : avec cinq pro-Gore et quatre pro-Bush, modèle W., on aurait eu le résultat inverse.

Le mot *sagesse* est apparu en français, au Moyen Âge, à propos de la deuxième personne de la Tri-

1. La désignation finale de George Walker Bush comme président des États-Unis.

nité. Mais en théologie, le Père, le Fils et le Saint-Esprit ne sont pas divisés politiquement ; tout se décide à l'unanimité. La Cour suprême des États-Unis, qui n'est pas divine, ne forme pas non plus un seul sage en neuf personnes. Le mot *sage* vient d'un assez mauvais latin, *sapius* ou *sabius*, qui voulait dire à la fois « savant » et « vertueux ». Le mot classique était *sapidus*, dérivé de *sapere*.

Le latin montre la source de la sagesse, dans notre culture. C'est la *saveur*, mot de même origine. En effet, le goût permet de déceler et de savoir à quoi l'on a affaire. Goût et saveur apportent savoir et respect des choses, qui sont le début de la sagesse. Au moins dans l'histoire des mots.

Car dans les faits, la sagesse peut s'appliquer à un savoir suprême, mais aussi à des connaissances techniques comme dans le cas des *sages-femmes*. À propos de ces juges qualifiés *a priori* de sages, à Washington, on peut se demander si leur « sagesse » ne serait pas améliorée avec, parmi eux, quelques femmes sages. *Une sage*, comme « une juge ».

La Cour suprême, dit-elle, défend la Constitution, en interdisant un décompte de voix (dira-t-on un recompte ?) parce que le délai constitutionnel, grâce à elle, d'ailleurs, va expirer. Par ce calendrier, on voit bien que les jeux étaient faits.

La phrase des casinos s'impose ; dès lors, « rien ne va plus ». Ce qui suggère que la sagesse de ces sages a des points communs avec la roulette politique. Rien ne va plus, vraiment, et pas seulement à Washington.

13 décembre 2000

Assumer

Niant l'existence d'une crise morale, dont il a pourtant entendu parler, disait-il, « ici ou là », Jacques Chirac a admis l'existence de *dérives*, précisé qu'il fallait *réagir* et qu'il était nécessaire d'*assumer*. Tels sont les termes du discours présidentiel, parmi un vocabulaire destiné à sauvegarder la présomption d'innocence et à instaurer le principe de précaution.

Le verbe *assumer*, dans un raisonnement défensif habile, peut pourtant ouvrir une brèche. On comprend qu'il s'agit d'accepter la responsabilité et les conséquences de ses actions. *Ad* et *sumere*, en latin, c'était notamment « adopter, prendre la charge de quelque chose ». Le contraire de *ad sumere*, c'est *eximere*, d'où vient *exempt*. Ainsi, s'exempter d'une responsabilité, c'est refuser d'assumer. Le penchant à assumer suppose d'abord la lucidité, la connaissance et la reconnaissance, la mémoire, puis, devant des accusations, l'honnêteté et le courage. André Gide écrivait de Dostoïevski qu'il avait « une propension naturelle à assumer toujours et ne se dérober devant rien ». C'était vrai dans sa vie comme dans son œuvre, qui bouscule toutes les conventions et recherche la vérité, au prix de la tranquillité et de la vie même. Car il y a danger à assumer.

En politique, assumer complètement le passé est particulièrement périlleux. On accepte facilement d'assumer une charge ou un rôle, mais beaucoup moins les responsabilités qui en découlent et plus du tout, en général, les anomalies et irrégularités révélées. Assumer les avantages et les honneurs et se dérober devant les révélations pénibles n'est certes pas un comportement exceptionnel. L'ignorance du chef, « victime » de sa situation dominante, c'est un thème peu favorable à l'assomption. Car l'assomption est l'action d'assumer ; Roland Barthes rappelait que l'« assomption d'un peu de réel » était bien nécessaire.

Mais l'Assomption, c'est aussi l'enlèvement miraculeux de la Sainte Vierge vers le ciel qui montre que Dieu, dans la personne du Fils, assume sa nature humaine. C'est encore mieux que la position de victime innocente ou du joueur qui botte en touche, franchement plus triviale. *Assumer* est un mot fort moral, mais un peu piégé.

15 décembre 2000

Trafic

Des mises en examen récentes donnent à un mot en général déplaisant, *trafic*, une occasion de s'étaler à la une des journaux. On se moquait jadis des dictionnaires paresseux, qui définissaient *trafic* par *négoce*, *négoce* par *commerce*, et *commerce* par *négoce* et *trafic*. Ce petit jeu n'a heureusement plus cours, et on sait mieux distinguer ces trois mots.

L'histoire de *trafic* est obscure ; cependant ses premiers emplois sont liés non au commerce, mais à la tromperie, avec des allusions à des manipulations malhonnêtes.

À partir de là, le mot, en français, est alternativement correct – le trafic étant alors un échange et un déplacement, d'où le sens de *traffic* en anglais, qui correspond à la « circulation » des véhicules – et critiquable, autour de l'argent malhonnête. Depuis le XVIe siècle, en effet, le trafic est un commerce illicite. Quant à *trafiquer*, que notre langue a pris aussi à l'italien, ce verbe exploite la valeur ancienne de « dénaturer, modifier sans en avoir le droit ». On parle d'ailleurs de denrées trafiquées et cela peut s'appliquer à certains produits interdits ou dangereux. Si l'on peut dire « trafiquer de la drogue », c'est avec l'idée du commerce illicite, alors que « trafiquer un alcool », c'est le modifier dangereusement, le falsifier ou le frelater. Les denrées trafiquées, c'est la malbouffe, les médicaments trafiqués, c'est encore pire. Ils ne guérissent pas, et peuvent tuer. Les organismes génétiquement trafiqués – pardon, manipulés –, on n'aime pas trop ça. Ces traficotages n'ont qu'un mobile, l'argent. Ce qui redonne à *trafic* son sens économique de « commerce ». Une autre denrée que la malhonnêteté peut « trafiquer », c'est, nous dit le droit pénal, l'influence. On a d'autres mots, un peu savants : concussion, malversation, prévarication. Il existe trop de trafiquants d'influence, de pouvoir et d'intérêt, comme il en est d'armes, de drogues, de produits dangereux. Le seul « trafic d'influence » qu'on aime, c'est celui de l'émission de Philippe Bertrand[1], qui est un beau commerce d'idées.

22 décembre 2000

Animal

S'il fallait un prétexte pour parler d'animaux le lendemain de Noël, le bœuf, l'âne et même les bergers de la crèche – puisqu'il n'est pas de berger sans moutons et sans chien – pourraient suffire. Mais l'idée m'en est venue par la lettre d'un auditeur, attristé par le sort que notre société réserve à bien des animaux et par une indifférence scandaleuse à cet égard.

L'animal, c'est l'être doué de ce souffle vital nommé en latin *animus*, et le mot s'applique surtout à ceux qui sont proches de l'espèce humaine, au moins physiquement. Dans la satire politique de George Orwell, *La Ferme des animaux*, tous se voulaient égaux, mais très vite, certains, plus malins, se faisaient « plus égaux » que les autres – ce qui montre à quel point l'homme est un animal. De même, les animaux autour de nous sont loin d'être égaux : certains sont chouchoutés, mais beaucoup sont maltraités, oubliés, abandonnés, égorgés, tandis que des tonnes de bons sentiments sont déversées sur les chiens, les chats, les oiseaux et autres bêtes dites « de compagnie ».

1. Sur France Inter, qui se veut inter-médiaire, inter-actif…

Hélas, le règne animal est aussi l'objet de l'horreur économique, qui n'a jamais si bien mérité son nom que quand elle a suscité l'élevage en batterie, le gavage des canards et des oies en cage – sujet de Noël s'il en est –, la pêche industrielle, les vastes massacres organisés des « abattoirs », mot terrible. Au moins, le mazoutage des oiseaux, catastrophe mieux perçue, est involontaire. N'évoquons pas même les espèces disparues, et les races d'animaux oubliées, pour cause de faible rentabilité immédiate. Justes réflexions pour un matin d'après la fête ? Sans doute, mais le répit dans l'agitation quotidienne, l'esprit de Noël et d'enfance pourraient être l'occasion d'un retour aux sources de la vie, que l'espèce humaine doit entièrement à cette évolution qui a peuplé la terre d'animaux. Que l'on croie à la création et à l'arche de Noé ou à la nature vue par Lamarck et Darwin, l'animal, ce vivant proche de nous, mérite le respect. Frères humains, et sœurs humaines, cessons de rendre les vaches folles avant de les tuer et de rendre la vie impossible aux bêtes élevées avant de la leur prendre.

26 décembre 2000

Euphémisme

Parmi les « dérives », comme on dit, de notre langue, il y a un sujet qui fâche ou qui fait sourire plusieurs auditeurs, selon leur caractère. J'ai cru remarquer que les femmes et les jeunes s'en amusent plus souvent que les hommes un peu moins jeunes. Ce qui est sûr, c'est que les euphémismes, ces mots qui tournent autour des choses et refusent d'appeler un chat un chat, quand ils apparaissent, déclenchent des réactions critiques. Remplacer *balayeur* par *technicien de surface*, il est vrai, revient à préférer une expression prétentieuse, pompeuse et obscure à un mot très clair. Trop souvent, les inventeurs d'euphémismes nous concoctent un enfer pavé de bonnes intentions. Et certains débouchent sur de franches et cocasses absurdités : j'ai lu quelque part qu'un hôpital de Montréal, au Canada, recommandait, pour ne pas être désagréable aux patients, de ne plus les appeler des « malades », mais des « non-handicapés ». Reste à nommer les handicapés des non-malades, et « tout le monde il est heureux ». Mais ça ne guérirait personne. Et le mot *handicapé* lui-même me semble être un euphémisme utile, pour éviter *infirme*, plus brutal.

Euphémisme vient du grec et signifie à peu près « bien dit, bien parlé », de même que *euphonie* désigne un son agréable. Le contraire de l'euphonie est la cacophonie, mais certains euphémismes, qui prétendent mieux dire, peuvent aboutir à des résultats dissonants.

Mon correspondant, qui a de l'humour, répudie *malentendant* et *malvoyant*, trouvant que *sourd* et *aveugle* remplissaient bien leur office, et se demande si on finira par dire : *il est malentendant comme un pot*, ce qui serait plaisant. Mais il ne faut pas oublier que les mots nouveaux sont justement utiles lorsqu'ils ne remplacent pas les braves mots anciens. Entre *sourd* et *malentendant*, le déficit auditif diminue : les malentendants entendent mal, c'est clairement dit, alors que les sourds n'entendent pas. C'est une différence énorme, pour les intéressés. L'euphémisme n'est pas condamnable parce qu'il cherche à dire mieux les choses pénibles ; il l'est quand il n'y parvient pas.

28 décembre 2000

Tout à fait

Un auditeur bordelais me fait part de son irritation quand il entend, au lieu de *oui*, *d'accord*, ou d'autres expressions de la réponse positive, un *tout à fait* qui lui semble ridicule. « Est-ce que tu t'appelles André ? Tout à fait, Gaston. » « Crois-tu qu'il va faire beau ? Tout à fait », et ainsi de suite.

Cette expression, que nous n'analysons plus, n'est pas condamnable en soi. Elle renforce une ancienne manière de dire, disparue il y a plusieurs siècles mais qui fut courante au Moyen Âge : *à fait*, qui voulait dire « à mesure, progressivement ». Par rapport à cet *à fait*, *tout à fait* correspondait logiquement à « complètement » et exprimait la même idée que *au bout du compte*. *À fait* a disparu, alors que *à mesure* et même *au fur et à mesure* (où *fur* signifie « prix ») sont restés dans la langue. Il en fut de même pour *tout à fait*, qui fait partie de ces orphelins du langage témoignant de l'ancienne langue cachée dans la nôtre. *Tout à fait* signifie donc « complètement, entièrement » et parfois « parfaitement ». Dans ces adverbes, il y a une idée de gradation et *tout à fait* ressemble à un superlatif. C'est pourquoi répondre à une question sans nuance de plus ou de moins par *tout à fait* est absurde.

Si on vous demande si un plat est réussi, dire *tout à fait* est mieux qu'un *oui* tout sec, mais *parfaitement* ferait sûrement plus de plaisir au cuisinier. Cependant, à la question : « Est-ce que tu veux encore un peu de chapon ou de bûche ? » – c'est l'époque qui veut ça –, répondre *tout à fait* n'a aucun sens. C'est oui ou c'est non, auxquels la politesse commande d'ajouter des remerciements bien sentis.

À propos, cette chronique est tout à fait finie, ce qui ne veut pas dire « parfaitement ».

29 décembre 2000

2001

***15 janvier* :** Séisme au Salvador
***13 février* :** Les difficultés du PSG
***2 mars* :** Condamnation par contumace du criminel nazi Aloys Brunner
***18 mars* :** Procès de Guy Georges
***11 mai* :** Grève des transports urbains
***14 mai* :** Élections en Italie
***15 juin* :** Manifestations en Kabylie
***25 juin* :** Réunion à l'ONU sur le sida
***26 juin* :** Relèvement du SMIC
***11 septembre* :** Candidature des Verts à la présidence
***9, 23, 24 octobre, 12 décembre* :** Opérations américaines en Afghanistan
***12 octobre* :** Prix Nobel de la paix
***9 novembre* :** Réunion de l'OMC au Qatar
***13 novembre* :** Écrasement d'un Airbus à New York
***18 novembre* :** Le procès des « paillotes » corses
***21 décembre* :** Mort de L. S. Senghor

Cavale

L'économie française s'agite encore, frémit, elle ne cavale pas. Plusieurs faits divers – souvent un fait sanglant et criminel – amènent leur cortège de mots. On parle de *cavale* à propos de l'homme qui est sorti de la raison et du bon sens – ce que signifie *forcené* – et qui, comme cela arrive de plus en plus souvent, n'a trouvé que le meurtre pour exprimer sa haine et sa colère, avant de s'enfuir.

Cavale est le dérivé argotique du verbe *cavaler*, apparu à l'époque de Vidocq dans le milieu des malfaiteurs. *Cavaler*, de son côté, vient du latin populaire *caballa*, nom féminin d'où vient *cavale*, mot poétique pour *jument*. Il devait être un peu oublié, ce mot, puisque son dérivé *cavaler*, d'abord noble – il signifiait « galoper, poursuivre à cheval » – est devenu un synonyme de courir, filer à toute allure, avec deux spécialisations.

À la Belle Époque, qui n'était pas si belle que ça, *cavaler* prend un sens coquin et machiste, « courir après les femmes » ; alors, on n'a pas parlé de *cavale*, mais de *cavaleur*.

Le cheval et la chevauchée étant oubliés, la cavale, fuite précipitée, a été réservée aux délinquants qui jouent au voleur et au gendarme. À la fuite et à l'évasion, le mot *cavale* ajoute l'idée de cache-cache et la volonté de se mettre hors la loi, tandis que *cavalcade*, pris à l'italien, s'orientait vers la manifestation bruyante. Il y a bien des façons de *cavaler* : celle de la *cavale* est tout sauf caracolante : discrète au contraire, sauf quand les médias s'en mêlent. Les forcenés, les tueurs fous en cavale manifestent le refus absolu de la loi et la volonté extrême de nuire. Du temps du roman d'Albertine Sarrazin, *La Cavale*, c'était seulement l'évasion ; aujourd'hui, semble-t-il, c'est la fuite éperdue et dangereuse. La France, avec d'autres sociétés, semble cavaler dans un western. La cavale n'a plus rien d'hippique, et pas grand-chose d'épique ; c'est maintenant une affaire de voitures volées et de fusil-mitrailleur. Pour parler moderne, ce n'est plus du tout cool, la cavale ; ce serait plutôt *nuit grave*[1], comme toute violence.

9 janvier 2001

Séisme

Version savante de *tremblement de terre*, le mot *séisme*, apparu il y a quelque cent vingt ans, est pris au grec *sismos* ou *seismos*, le dérivé d'un verbe qui signifie « secouer », « faire trembler ». Les érudits qui connaissent l'origine de ce terme trouvent que *secousse sismique* est un pur et simple pléonasme. Mais comme il y a d'autres secousses

1. On sait que cette expression, qui n'a pas vécu longtemps, a désigné la cigarette, qui « nuit gravement à la santé ».

que celle de la Terre, le besoin de préciser requiert un adjectif : certainement, *secousse tellurique* est mieux dit que *secousse sismique*. *Séisme*, prononciation épelée des lettres grecques, a été concurrencé par *sisme* et l'on dit toujours *sismique*, *sismographie*, etc., à côté de *séismique* et *séismographie*. *Sisme* était d'ailleurs la forme normale en français, comme *sistre*, du mot grec écrit *sé-is-tron* et prononcé *sistron'*. C'est pourquoi Haroun Tazieff, grand *volcanologue*, terme qu'il préférait à *vulcanologue*, voulait qu'on dise *sismique* et me l'avait fait savoir.

De toute façon, parler de « secousse » et même de « tremblement » à propos de cette réaction violente de l'écorce terrestre, minime à l'échelle de la planète, mais catastrophique pour les humains qui vivent à l'endroit où la terre tremble – on parle d'*épicentre* –, c'est aussi un euphémisme. Car les séismes, mesurés par la fameuse échelle de Richter, ont des effets terribles pour ce qui importe le plus, la vie humaine. Là encore, on emploie bien des euphémismes : à côté des morts, on parle de disparus, il y a aussi des blessés, des sans-abri et, à côté des victimes directes, le désespoir des proches et la terreur de toute une population, qui n'a pas de nom.

Ces grandes catastrophes ont souvent lieu dans des pays sans grands moyens matériels : à une vie quotidienne difficile s'ajoute alors la brutalité du drame collectif. Acharnement contre les défavorisés de la planète. Bon Dieu ! que fait le Dieu bon ? Quand le séisme n'est pas un *microséisme*, il appelle une aide immédiate. Incapable de maîtriser les mouvements des plaques telluriques, la communauté internationale se doit de réagir avec un minimum de solidarité. *Salvador*[1] signifie « le sauveur » en espagnol ; pourtant, malgré ce patronage, il manque cruellement de *sauveteurs*. Il y a des moments de vérité où les symboles ne suffisent pas.

15 janvier 2001

Retraite

L'histoire des mots est un témoin fidèle de la vie sociale et, en l'espèce, des acquis sociaux. Prenons le mot *retraite*, dérivé de l'ancien verbe *retraire*. Ce dernier a été remplacé par *retirer*, de même que *traire*, spécialisé en agroalimentaire, comme on ne disait pas encore, a cédé la place à *tirer*.

En effet, la retraite fut d'abord l'action de se retirer : on dit encore *battre en retraite*, et personne ne souhaite que les retraites modernes soient elles-mêmes réduites à la défaite.

La retraite était donc avant le XIXe siècle une affaire militaire, ou bien religieuse. Aujourd'hui, on ne se retire plus pour prier ; et à peine s'il y a encore quelques *retraites aux flambeaux*.

Cependant, dès le XVIIe siècle, le mot *retraite* peut désigner le départ des affaires et la fin de

1. Un tremblement de terre, avec ses suites, torrents de boue, glissements de terrain, venait de ravager et d'endeuiller cet État d'Amérique centrale.

l'activité professionnelle. Simple départ, alors, sans avantage particulier. Mais dans l'armée de Louis XV, on a commencé à dire *retraite* pour la pension d'un officier qui s'en allait, puis pour celle d'un fonctionnaire. Mais c'est au XIXe siècle, peu avant la révolution de 1848, que les retraites deviennent un système, un régime pour des travailleurs après une vie de travail. À preuve, l'expression *caisse de retraite*, qui représente cette évolution sociale. L'Allemagne de Bismarck, que nous imaginions moins sociale, s'était la première préoccupée du sort des vieux travailleurs.

Mais il faudra attendre, en France, les lois sociales du Front populaire ; en Angleterre, puis ailleurs dans le monde, la *Social Security*, sécurité sociale. Les régimes de retraite ont abouti à ce que nous connaissons : régime général, retraites complémentaires, âge de départ à soixante ans. Faut-il réformer le système ? Sans doute. C'est la manière de faire et la répartition des financements qui opposent syndicats et patrons – pardon, entrepreneurs. Chacun veut forcer l'autre à se retirer, sinon à prendre sa retraite. Dans l'affaire, personne ne veut battre en retraite. Le Medef, au contraire, attaque : on dit qu'il met la pression. Dans la marine de Louis XIV, les navires tiraient un « coup de canon de retraite » avant de prendre leur service de nuit. Mais c'était un coup à blanc. Espérons que la guerre des retraites ne se fera pas à balles réelles.

16 janvier 2001

Torture

Pour désigner des réalités insupportables et qui mettent en œuvre la volonté du mal, il arrive que le langage emploie des mots neutres ou innocents. C'est le cas de *torture*, pris au XIIe siècle au latin *tortura*, du verbe *torquere*, qui signifiait simplement « tourner », avant de s'appliquer au corps humain. Mais alors que *tordre* et *torsion* se sont restreints à l'action physique sur les choses, *torture* s'est appliqué vers la fin du Moyen Âge aux souffrances infligées comme peine juridique et, surtout, pour « extorquer » des aveux. Et le mot *tortionnaire* a suivi. On disait en ancien français *géhenne*, mot qui venait de l'hébreu *Ghê-Hinnom*, la vallée de Hinnom, car en ce lieu, près de Jérusalem, la Bible nous dit que des idolâtres avaient sacrifié des enfants par le feu. Par un adoucissement extraordinaire, la géhenne, mot de l'enfer, est devenu une simple *gêne*. Rien à voir avec la gégène, qui vient du groupe électro*gène*.

Il nous reste de ces mots usés une vérité indiscutable : la torture, dans le monde moderne, gêne les consciences délicates qui aimeraient que ce ne soit qu'une des horreurs du passé, de la très vieille histoire.

On sait bien que la justice, et même la justice religieuse, utilisait la torture. Ce procédé inhumain était considéré comme normal, avant qu'un grand esprit du XVIIIe siècle, le juriste italien Beccaria, ne montre que cette infamie ne servait à rien.

Mais la torture, dans la discrétion des systèmes répressifs, a continué à tordre les corps et les âmes. On en parle aujourd'hui, par devoir de mémoire, à propos de la guerre d'Algérie ; on doit surtout en parler à propos des violences physiques qui se commettent encore un peu partout. Amnesty International vient de publier un rapport terrifiant sur la torture des enfants…

La torture était jadis, paradoxe scandaleux, un procédé de « justice » ; naguère, elle devint et malheureusement demeure encore un procédé de police et de guerre ; parfois même de gouvernement. Les pseudo-justifications et les dénégations, du style « on ne pouvait pas faire autrement » ou « j'ai obéi aux ordres », reviennent à nier toute liberté. Le cynisme et le sadisme sont venus gangrener des situations historiques, telles les guerres coloniales et les régimes dictatoriaux. En employant la torture, tout régime se disqualifie. On s'aperçoit aujourd'hui que l'innocence et l'aveu franc, qui n'excuse rien, sont l'exception ; le silence coupable, la règle.

29 janvier 2001

Délinquance

Le mot *délinquance*, aujourd'hui aussi indispensable que désagréable, est un pur produit du XXe siècle. Ce qui se disait avant, c'était *délinquant*, adjectif et nom qui s'appliquent surtout aux auteurs d'infractions relativement légères, les fautes les plus graves contre la loi caractérisant plutôt ce qu'on nomme les *criminels*. Le rapport entre *délinquance* et *délit* est toujours perçu, les deux mots, en latin, dépendant d'un verbe qui nous serait bien utile, *délinquer*. Mais nous devons dire lourdement *commettre un délit*. Pourtant, *délinquer* a existé, on le trouve même sous la plume de Chateaubriand, ce qui ne suffit pas à le faire revivre. Dommage.

Plus dommage encore, la pratique du délit et de la violence pour s'exprimer. On a trop tendance à les confondre, alors que les actes délictueux peuvent être calmes, et ne violer que la loi. Le mot *délinquance* ne fait pas le détail : il comprend aussi bien les crimes – on dit la *grande délinquance* – que les délits correctionnels. Mais les distinctions juridiques entre infractions frappées de peines correctionnelles, et les crimes, qui relèvent d'une autre justice, sont affaire de spécialiste.

Ce qui préoccupe dans la délinquance, c'est autant le style des infractions que leur nature, ce qui ramène aux délinquants. Or, la délinquance nouvelle et accrue, du moins ce qu'on en perçoit, ce sont des pratiques violentes, des vols avec menace, des destructions de matériel. Ce qui n'efface pas la gravité de la délinquance plus classique et sans violence, dont les frontières sont moins nettes. Il y a plus que des nuances entre les jeunes qui cognent, qui tirent le portable de la p'tite dame, qui cassent ou qui brûlent les caisses des bourges[1] ou de leurs voisins, et les grands délinquants financiers.

La grimpette de la délinquance n'a donc pas un sens très clair, puisqu'elle additionne des choux et des raves, en l'espèce les choux sociaux de l'insécurité et les raves juridiques de l'infraction. Elle inquiète parce que les statistiques sont confuses. La délinquance est une abstraction pour sociologue ; ce sont les délinquants et leurs victimes qui importent, et les mots qui fâchent sont alors *violence*, *insécurité*, *inconscience*, *perte du sens moral*, qui ne se laissent pas facilement réduire en chiffres.

2 février 2001

Désarroi

Que ce soit devant l'incivilité – comme on dit pudiquement – et la violence adolescente ou devant les insuffisances de la prévention médicale, on fait état d'un certain désarroi. Le mot du trouble moral reflète à la fois l'incompréhension et la détresse qu'on éprouve quand on ne sait plus comment réagir. Mais cet aspect psychologique est second ; le désarroi premier est un désordre, une désorganisation et un mauvais fonctionnement. Dans ses *Mémoires*, Saint-Simon a cette remarque désabusée : « Je trouvais les chemins et les postes en grand désarroi. » Cette valeur objective et concrète

1. Les voitures des bourgeois, en vieux français.

s'appliquerait bien aux manques de moyens qui désorganisent certains services publics, tels l'école ou l'hôpital.

Désarroi fait partie des mots orphelins, puisqu'on ne parle plus d'*arroi*, et encore moins d'*arroyer*, verbe qui signifiait « disposer, arranger » et dont nous aurions cependant bien besoin.

C'est probablement un mot germanique, importé par les mercenaires de l'Empire romain en terre gauloise. D'où vient qu'on qualifiait une organisation par rapport à son arroi. Les princes se déplaçaient *en grand arroi*, équivalent de « en grand équipage », et lorsque les choses marchaient mal, faute de moyens, on les disait *en mauvais arroi*.

Aujourd'hui, on ne se plaint plus du mauvais arroi de certaines institutions et des systèmes chargés d'organiser la vie publique, mais souvent on le pourrait. De cette série de mots, il ne reste plus que le désarroi des citoyens qui subissent les inconvénients de trop médiocres arrois. Insuffisance des moyens, inertie des autorités, incapacité ou lenteur à réagir sont encore et toujours sources de désarroi.

Si on se demande pourquoi *désarroi* est resté vivant, alors que *arroi* a disparu, on est tenté de répondre que, justement, on ne dit rien quand ça marche et quand les trains arrivent à l'heure, alors qu'il faut bien exprimer l'angoisse et le découragement quand ça ne marche pas.

9 février 2001

Régression

Progression et régression alternent et sont complémentaires, mais l'attention se porte plus volontiers sur les *régressions*, comme si l'opinion entretenait à l'égard de ceux qui les subissent un léger sadisme, à moins que ce ne soit de la compassion – mais est-ce si différent ?

Dans le rapport sur la langue française dans le monde, on annonce une régression de notre idiome en Europe orientale et en Asie ; dans les sondages portant sur les prochaines élections municipales, on note dans l'ensemble une régression de l'opposition ; en sport, sérieuse régression d'un club pourtant financièrement bien doté, le Paris-Saint-Germain ou PSG. Ces régressions ont pour corollaire la progression de concurrents, ce qui les rend plus pénibles encore pour ceux qui descendent.

La régression fut d'abord un recul concret, une marche arrière, complémentaire de la progression ; puis ces mots furent absorbés par la métaphore qui guette tous les mots concrets. *Régression* et *progression* remontent au verbe latin *gradi*, « avancer, marcher ». Or, les idées de *graduation* et de *dégradation* introduisent la notion de *degré*, qui correspond à peu près à « marche d'escalier » ou à « échelon ». Et *régression* est passé de la marche arrière – opération souvent indispensable, car comment se servir d'une voiture sans marche arrière ? – à la descente, et à reculons, encore. *Descente*, mot valorisé quand il s'agit de ski, évoque plus souvent une situation qui se dégrade. *Régression* est plus progressif, mais dit la même chose. Dans le cas de la langue française, la régression peut cacher des avancées, et déclencher des réactions qui la freinent. Puisqu'il s'agit de recul, il faut se rappeler que certains reculs sont des prises d'élan, pour mieux sauter. Se dire : je l'ai bien descendu, ne suffit certes pas. Pourtant, les escaliers sont aussi faits pour être remontés : les degrés et les marches sont innocents. De *régression* à *progression*, il ne faut que changer de préfixe : le français en a vu d'autres, en un millénaire d'existence. Reconnaître une vérité déplaisante, ce n'est pas s'y soumettre.

13 février 2001

Prostitution

Cette activité est souvent appelée « le plus vieux métier du monde », ce qui est provocateur, car il semble que l'agriculture et l'artisanat étaient un peu plus nécessaires à la survie de l'espèce. La prostitution, dont il est question périodiquement, évolue comme toute chose, mais évolue en mal. Son caractère scandaleux était lié aux tabous sexuels et, surtout au XIXe siècle, à l'hypocrisie de la société bourgeoise. Mais son aspect commercial en a fait l'une des pires formes d'exploitation de l'être humain. On parle à juste titre de nouvel esclavage, oubliant l'utilisation sexuelle des jeunes femmes dans toutes formes d'esclavage, même antique.

S'étendant aujourd'hui aux jeunes hommes et aux enfants – on n'arrête pas le progrès ! –, la prostitution, sous ses diverses formes, est devenue un trafic international où le corps humain, comme la drogue ou n'importe quel produit interdit et convoité, est un pur objet, une marchandise. La poésie douteuse et pittoresque de la prostituée d'antan, méprisée par le bourgeois, généreuse souvent, survivant en vendant librement son corps, s'est changée en un mythe complètement dépassé.

Le mot *prostitution* a pris le sens que nous lui connaissons au XVIIe siècle. On en parlait depuis le Moyen Âge, mais c'était un équivalent de « débauche », sans idée de commerce. C'est en fait un terme de religion, qui dit, en latin *pro statuere*, « placer devant, exposer aux regards », et qui s'est appliqué aux marchandises à vendre. En pro-stituant des êtres humains, on les livre en effet à un commerce d'argent. De même, en se prostituant, le mot dit seulement qu'on s'expose : ce fut le sens de ce verbe au XVIe siècle. Ceux qui s'exposent, d'une certaine manière, se prostituent ; ils se compromettent. Sans agressivité, on pourrait dire que toute parole publique est prostituante. Mais cela peut être une honnête prostitution. En revanche, devenue commerce, la vraie prostitution change de nature. La réprobation qui accablait les prostituées, qualifiées de « sales » (avec l'ancien adjectif *put*, féminin *pute*, qui a cristallisé des tonnes de misogynie hypocrite), retombe enfin sur les responsables et les profiteurs de la prostitution traditionnelle, les *proxénètes*, mot grec qui signifie « courtier », les macs, les jules. Le « pain des jules », condamnable mais artisanal, s'est transformé en industrie secrète, commerce d'esclaves organisé par des mafias dont l'argent se blanchit dans d'honorables banques. On parlait, de manière légèrement raciste, de « traite des Blanches ». Il faut dire aujourd'hui, plus généralement, « traite d'esclaves », *traite*, comme on le disait simplement à l'époque du commerce des esclaves noirs.

26 février 2001

Contumace

On va juger un criminel de guerre déjà condamné et dont on connaît parfaitement les crimes, qui sont imprescriptibles. C'est Aloys Brunner. Pas de présomption d'innocence, une certitude de culpabilité, de sadisme et d'atrocité. Mais on va le juger *par contumace*, ignorant même s'il est encore en vie.

On comprend *contumace* comme l'absence de l'accusé, qui n'empêche pas un jugement, car la justice doit passer. Pourtant, ce n'est pas le sens premier du mot, qui signifiait en ancien français « désobéissance ». L'adjectif latin *contumax* ne veut pas dire « absent », mais « obstiné ». Il s'employait à propos d'animaux entêtés. Très ambigu, ce *contumax*, car il pouvait impliquer la résistance d'un réfractaire aussi bien que l'obstination la plus durable. Les Latins pensaient que le mot *contumax* continuait le verbe *contemnere*, « mépriser », et aussi exprimait l'idée de « gonfler », *tumere* : le *contumace* est gonflé d'orgueil et de mépris. Appliqué en droit au prévenu qui refuse obstinément de se présenter devant le tribunal pour être jugé, l'adjectif exprime le refus de se conformer et la négation d'un devoir : se soumettre à l'examen de la justice. La contumace serait donc une sorte de négationnisme individuel, et une procédure s'est précisément organisée, au XVIe siècle, pour rendre inopérant ce refus. Dans le cas de Brunner, fournisseur d'enfants martyrs pour Auschwitz, il s'agit bien de négation des évidences, de refus de payer et d'abord de reconnaître, et pas seulement d'une fuite devant le châtiment. L'ancien Code d'instruction criminelle disait que le contumace « sera déclaré rebelle à la loi ».

L'obstination dans le crime s'assortit alors du mépris de la justice. Ce qu'il y a derrière l'absence, dans la contumace, c'est surtout le mépris : mépris des victimes, du droit, de la vérité. Comme les négationnismes historiques, le refus des coupables contumaces est lui-même une agression contre la mémoire et contre la justice.

2 mars 2001

Incivilité

Est-ce une épidémie, la violence ? Le problème de plus en plus grave de la violence à l'école, qu'on étudie dans les colloques, faute de pouvoir le maîtriser, suscite le nouvel emploi d'un mot assez savant, *incivilité*. Déjà, *incivil* avait un côté vieillot, par rapport à *impoli* ; alors *incivilité*, vous pensez ! Mais il y a un demi-millénaire, et bien avant cela, en latin, *in-civilitas* s'appliquait à la violence et à la brutalité.

Ainsi, quand on nous parle aujourd'hui d'*incivilités*, s'agissant d'injures, de dégradations, de coups et de bosses de la part d'adolescents excités, nous avons l'impression d'un euphémisme prétentieux, et d'un exemple supplémentaire de « politiquement correct ». Mais il faut y regarder de plus près, car le mot ne fait aujourd'hui que retrouver ses origines. La civilité, c'est bien le minimum de contraintes réciproques qui rend possible la vie en société, dans cette *civitas*, qui ne veut pas dire « cité, ville », mais « condition de citoyen ».

Parmi les valeurs civiles et civiques, la civilité s'est orientée vers les actes et les gestes quotidiens, vers les règles qui rendent meilleurs les rapports humains. Nous sourions aujourd'hui devant les anciens manuels de savoir-vivre à l'intention de la jeunesse, qui se nommaient joliment *Traités de civilité puérile et honnête*, *puéril* signifiant « pour les enfants » et *honnête* « bien élevé ». Aujourd'hui que de nombreux enfants et adolescents qui ne sont pas très « élevés », mais tirés vers le bas ou laissés à eux-mêmes, et où les adultes, qu'ils observent, ont tendance à se conduire en voyous, s'insultant en voiture, ou bien en mufles, indifférents à ce qui n'est pas eux, la civilité fait figure d'anachronisme. La politesse, le respect de l'autre, pour ne rien dire du savoir-vivre et du savoir-dire, c'est pas cool, mec.

L'incivilité va plus loin que l'impolitesse, même si, en cherchant bien, on y trouve *polis*, la communauté politique. En outre, il faut bien un degré intermédiaire entre le comportement correct et la violence. *Incivilité* est un bon mot, à condition de le réserver aux attaques mineures, en paroles, en gestes et en symboles – les tags, par exemple – et de ne pas l'appliquer aux violences et aux dégradations. Mais l'incivilité, qui n'est certes pas l'apanage des jeunes, conduit aux violences, et la violence du langage à celle des actes. Le retour du mot *incivilité* pourrait avoir un autre et sérieux avantage : celui de remettre en valeur la bonne vieille *civilité*. Ce qui me permet de vous adresser pour finir, de manière fort ringarde, toutes mes civilités.

5 mars 2001

Les jeunes

Une auditrice de Saint-Julien-en-Genevois, professeur de lycée, me fait part de sa perplexité devant l'usage étrangement orienté du mot *jeune*, employé comme nom[1]. Parfois synonyme d'*adolescent*, parfois de *mineur*, le mot, en effet, emporte des associations d'idées bien différentes de celles de *jeune homme*, *jeune fille* ou *jeunes gens*, et ne les remplace pas.

Tout se passe comme si le statut de *jeune*, entre l'enfant et l'adulte, était réservé au répertoire des problèmes sociaux, et notamment à celui de la violence. Alors que *jeune*, adjectif traditionnel, marque la première partie de la vie et ses caractéristiques, le plus souvent positives, le nom qui en est tiré est plus restrictif, et parfois hostile, ce que révèle le composé *anti-jeunes*. On parle même et maladroitement de *jeunisme*, qui signifie normalement « manie des valeurs jeunes », pour « racisme antijeunes ». Il est paradoxal et révélateur que les *adolescents* ou *ados*, et les *jeunes gens* d'antan aient été appelés des *jeunes* au moment où les adultes s'en plaignaient : *les jeunes des cités*, *les bandes de jeunes* ont presque succédé aux *gamins des rues* que les bourgeois chargeaient de tous les maux. Dans le discours convenu des médias, les jeunes sont trop souvent délinquants ; même s'ils en sont les victimes, ils participent de la violence. Un enfant sage reste un enfant ; un enfant violent et malfaisant devient un jeune. Les « jeunes » font des coups pendables et brûlent les voitures ; les « ados » vont en colonies de vacances. En même temps, dans l'opinion, les jeunes, ou plutôt la jeu-

1. Note, en 2006 : on ne parlait pas encore – ou pas couramment – de « djeuns' », à l'époque.

nesse, règnent sur ceux qui ne le sont plus : il est vrai qu'ils consommeront plus longtemps... Pourtant, sans bruit, sans accusation explicite, l'usage banal de la langue enferme les jeunes dans un ghetto, et on finit par oublier que les jeunes sont les adultes de demain, c'est-à-dire l'avenir.

À trop insister sur un phénomène très réel et qu'il faut enrayer, la violence, on finit par identifier un groupe aux excès de certains de ses membres. Tour à tour, les jeunes, les vieux, les immigrés, les politiques en prennent pour leur grade. Et les mots eux-mêmes tournent mal. Cela commence à ressembler au racisme : quand on dira « sale jeune ! », ça n'ira plus du tout ; il me semble qu'on n'en est pas loin.

8 mars 2001

La gent

Je suis chaque jour impressionné par la qualité d'écoute des auditrices et auditeurs de France Inter. Je commence par les auditrices, non par simple et archaïque galanterie, mais parce que les femmes, j'en suis certain, sont à la fois plus attentives et plus tolérantes en matière d'usage.

Ainsi, ce sont des auditeurs qui vouent aux gémonies les radioteurs que nous sommes parce qu'ils ont contrevenu aux règles, mais seulement à celles qu'ils connaissent. Oui, nous faisons tous des « fautes » et nous aimons qu'on nous les signale, à condition de ne pas en faire une roue de gruyère – car « en faire un fromage » paraît insuffisant.

Aussi est-ce sans indignation que j'entends dire les *mœurss* pour les *mœurs*, *jouin* pour *juin*. De même, l'habitude se prend de confondre l'ancien adjectif *gent*, *gente*, qui signifiait « charmant, aimable », et qui a donné *gentil*, avec un autre mot vieilli, *la gent*, nom féminin, signifiant « la lignée, l'espèce ». On se rappelle la charmante expression de La Fontaine, *la gent trotte-menu*, que le fabuliste applique aux souris. Comme par surcroît *la gent* peut être formée de *gens*, la confusion nous guette. Féminisation aidant, on va parler de la *gente féminine*, à propos des femmes. Les pièges de notre langue aimée sont innombrables : aussi *l'agent de police* est un élément de la *gent policière*, et l'on peut aussi rencontrer une *gente policière* parmi les *agentes* de police.

Gent policière, *gent militaire* sont encore des groupes plutôt masculins, faute de parité. Mais cela n'empêche pas *gent* d'être féminin, alors que l'expression *les gens* est du masculin, même quand il s'agit de femmes. Enfin, on ne dit pas *un gens*, et les gens riches et en vue sont devenus d'insupportables *pipeules*, grâce à nos *pipeulettes* médiatiques.

On a donc des excuses de parler de la « gente » féminine ; néanmoins, on a tort. Mais c'est un dur travail que respecter les mots.

9 mars 2001

Fusion

L'itinéraire du mot *fusion*, parti de l'idée de « répandre » et de « disperser », celle du latin *fundere*, pour aboutir à l'union intime, n'aurait pas eu lieu si le verbe et son dérivé ne s'étaient pas spécialisés en métallurgie. Dans ce domaine, la liquéfaction peut servir à produire un alliage ou un affinage : le passage du fer à la fonte et à l'acier exige la fusion du métal.

Ce changement radical de sens demandait qu'on clarifie le vocabulaire : *fondre* pour la liquéfaction, *fusionner* pour l'union. *Fusion* a fini par oublier l'état liquide et les inondations, courants, cascades qu'il implique, cet état fluide qu'évoquent *infusion*, *diffusion*, *perfusion*... *Fusion* a donc rejoint les alliances et alliages, jusqu'à l'absorption, l'intégration, l'union. George Sand, fine politicienne, parle de la fusion entre libéraux et bonapartistes.

Électoralement comme économiquement, la *fusion* conserve un aspect dynamique que n'a pas l'*union*, qui est un état résultant. Mais *fusion* a aussi un aspect moins durable, peut-être moins net : la recherche de la fusion requiert un minimum de dialogue et d'accord : sinon, on vient de le dire, *fusion* rime avec *confusion*, mais le verbe latin a tant de composés que l'allusion est trop facile. Les fusions entre éléments très différents risquent de produire une entente artificielle et sans lendemain.

C'est à quoi on veut faire allusion quand on reprend l'expression : *Embrassons-nous, Folleville*, titre d'un vaudeville réjouissant de Labiche et Lefranc, créé en 1850 au Palais-Royal. Voilà qui est bien ironique, pour un sujet sérieux.

Se retirer est passif ; *fusionner* demande un dialogue, comme on dit, constructif. Allons, une petite fusion, ça ne se refuse pas... Les Verts disent « d'accord » aux Roses, une menthe-framboise, en quelque sorte ; mais Philippe Séguin s'installe dans le refus de fusion et d'infusion. Et ce n'est pas une brève de comptoir.

13 mars 2001

Avouer

« N'avouez jamais ! », proféra l'ancien boucher Avinain, avant d'être guillotiné en novembre 1867, après des aveux qu'il regrettait amèrement. Le mot est resté célèbre, mais cet éloge du silence coupable ne semble plus de mise lorsqu'on envisage ses effets psychologiques désastreux sur l'entourage des victimes. Guy Georges, poussé par ses avocats, a donc avoué ses crimes.

Avocat, *avouer*, mais aussi *invoquer* et, soit dit sans malice, *convoquer*, tous ces mots font eux-mêmes un secret « aveu » : celui du rôle essentiel de la voix humaine, en latin *vox*, dont un dérivé est *vocare*, « appeler, dire, parler ». Si *avouer* n'était pas si ancien, et usé par le temps, il se dirait *ad-*

voquer, pour *advocare*, qui signifiait notamment « convoquer ».

Dans le monde féodal, le vassal « avouait » son seigneur ; puis, on avoua ses croyances. Encore aujourd'hui, *avouer* une chose, c'est la reconnaître ; son contraire est *désavouer*. Or, dans la vie sociale et morale, ce qui doit être reconnu, c'est la vérité, et *avouer* s'est appliqué aux actes les plus difficiles à reconnaître, ces actes coupables que l'État de droit doit sanctionner.

Tous les mots tirés du latin *vocare* continuent d'exprimer la parole. *Avouer*, dire en reconnaissant sa culpabilité ; *convoquer*, en appelant ; *invoquer*, en s'adressant à une instance supérieure.

Faut-il en conclure qu'on ne peut qu'invoquer le chef de l'État français, qui siège à l'Élysée – séjour des dieux –, et non pas le convoquer ? Le juge Halphen n'a pas hésité à le faire, pour obtenir un simple témoignage, que l'Élysée lui refuse avec hauteur.

Demande et refus ont pour objet la parole. Il en va de même pour les invocations sans conviction, les *omertà*, les silences, les convocations qui tombent à l'eau et tous les désaveux. Mais la parole ne suffit pas : les faux aveux, les aveux extorqués, les appels piégés trahissent la vérité, ce qui est pire que la taire.

Reste que le silence rend les soupçons plus pénibles, et ne les apaise jamais. Si *avouer* signifie « reconnaître », le refus d'aveu est une trahison. Quand Guy Georges, après avoir demandé pardon à ses victimes et à leurs familles, s'est demandé pardon à lui-même, ce qui a pu étonner, il reconnaissait en fait qu'il ne fallait pas trahir sa vérité. Naguère, on appelait cela « soulager sa conscience ».

18 mars 2001

Utopie

Encore dans le choix du « français comme on l'aime[1] », on trouve un mot sympathique et dangereux, politique et poétique, *utopie.*

Mot des temps modernes, puisqu'il fut inventé au XVIe siècle en latin par un grand penseur anglais, Thomas Morus, dans un texte où il décrivait « l'île nouvelle Utopia », île où règne le meilleur régime possible, désigné par un mot latin qui, malgré son antiquité, avait de l'avenir, *republica.* De manière à prévenir les lecteurs qu'il ne sera pas facile de visiter cette île de la meilleure république, Thomas More l'appela en grec « Sans lieu », du négatif *ou* et de *topos*, « lieu, endroit ».

Le rêve social généralisé n'est plus d'actualité, mais l'idée et le mot *utopie* ne se sont pas vidés de sens et de pouvoir. Ils sont passés dans de nombreuses langues, en français à partir de Rabelais, et quasiment dans toute l'Europe. Le poète libanais Salah Stétié nous rappelle que la langue arabe dit *utobia* ou *at-tuba* et qu'on a appliqué le

1. Choix de mots proposés pour une semaine célébrant la francophonie.

terme à la fiction philosophique d'Aboubaker, qui évoquait au XIIe siècle l'éveil de la conscience humaine dans une île déserte : traduit en latin, ce récit a été lu par Thomas Morus, lui donnant l'idée de ce « nulle part » idéal.

Car l'utopie est nécessaire, c'est un développement du rêve et de l'espoir : espoir de liberté, d'égalité, de fraternité pour les humains – cela rappelle quelque chose aux Français. Mais son nom avertit que cet idéal existe « nulle part ». Malgré l'ironie du socialiste Engels, qui se voulait « scientifique », les utopistes Proudhon, Fourier et d'autres nous ont fourni de belles idées, pas moins réalisables que d'autres.

L'utopie habite toutes les grandes démarches politiques. Dans les élections, les programmes et les promesses témoignent d'intentions, d'idées, qui sont raisonnables, parfois généreuses, mais qui se cassent le nez devant les pressions de la réalité, c'est-à-dire des lieux et du temps. Faire entrer dans le « ici et maintenant » les rêves et les désirs de l'utopie, c'est ce que tentent de faire les meilleurs politiques : mais s'ils restent dans le non-lieu, c'est l'échec. Aussi bien, la proximité, le terrain, c'est-à-dire le « quelque part », ne font pas oublier les « autres parts ». Si la politique s'en tient au réalisme local et au pragmatisme, elle risque de perdre son âme. Aussi, les élections se font en un lieu précis ; mais les idées, même appliquées localement, ont vertu générale : hors du temps et du lieu. *U-topia*, c'est aussi humanisme.

20 mars 2001

Quelqu'un

La place de l'individu, de la personne dans le collectif, cela peut se dire aussi *quelqu'un* et *tous*.

« Ah, *c'est quelqu'un* ! », dit-on avec admiration d'une personne que l'on connaît ou que l'on croit connaître. La langue populaire dit même *c'est quelqu'un* pour « ça, c'est extraordinaire ». Et pourquoi pas, puisque *un*, c'est l'unité, une personne ou une chose.

Quelque, de son côté, c'est un, ou une, parmi tous les autres. *Quelque* insiste sur l'indifférence, *un* sur le caractère individuel et particulier. Le résultat, *quelqu'un*, c'est vous, c'est moi, c'est nous tous, les humains. Sexisme évident de la langue : « *Y a-t-il quelqu'un* à l'écoute de France Inter ? » Et comment ! Alors, *quelqu'un* signifie tout autant *quelqu'une* que *quelqu'un*. Encore un client pour la féminisation. *Quelqu'un* ne distingue pas les enfants des adultes. Et son pluriel, serait-ce *quelques-uns*, *quelques-unes*, c'est-à-dire « un petit nombre », ou bien *tous* ?

C'est dire que cette expression indispensable a quelques défauts. Elle a remplacé, en ancien français, l'emploi du simple *un* : « un est venu, j'ai rencontré un, ou une ». *Quelqu'un*, c'est donc l'être humain en général, une conscience et un corps parmi des milliards, exactement comme le pronom *on*, qui vient de *homme* au sens d'être humain. Et quand il n'y a pas *quelqu'un*, on dit *personne*, par négation. Vous avez dit bizarre ?

Les anglophones disent de même *someone*, mais aussi *somebody*, « quelque corps » ; c'est faire bon marché de l'esprit. L'ensemble des « *quelqu'un* », c'est « tout le monde » : de fait, les créoles français disent *on moun*, « un monde », et *ti moun*, « le petit monde », pour l'enfant.

Le même mot pour « un » (ou « une ») et pour « tous », c'est aussi ce que fait l'anglais avec *people*, qui n'est pas seulement « le peuple », mais « les gens » et même « les gens chics, célèbres et riches », comme dans les magazines *pipole* ou *pipeule*, ce qui se dit drôlement en franglais.

Quelqu'un, en revanche, est du pur français, mais on n'est pas forcé d'adorer le sexisme masculin de cette langue. Au fait, *quelqu'un* conduit à l'égalité. Sartre, c'était quelqu'un, mais Simone de Beauvoir aussi, et Golda Meir et Indira Gandhi.

C'est très bien, d'être quelqu'un, mais au fait, personne n'y coupe : il suffit d'y regarder de près. Auditrices, auditeurs, vous n'êtes pas quelques-uns, mais beaucoup, des quantités. Cependant, vous êtes vraiment quelqu'un !

23 mars 2001

Vétérinaire

La responsabilité des *vétérinaires* est toujours importante, mais en cette période d'épizootie, elle augmente encore, les spécialistes de la santé animale ayant à prendre des décisions essentielles.

Vétérinaire, le mot a été tiré du latin au XVIe siècle, ce qui ne veut pas dire qu'on ne soignait pas les bêtes avant cette époque. En disant *médecine vétérinaire*, on soulignait l'unité des techniques médicales. Bien entendu, ce sont les animaux utiles à l'homme que ce dernier a pris la peine de soigner, et d'abord les animaux d'élevage. L'adjectif latin *veterinus* s'appliquait aux bêtes utilisées pour porter des fardeaux, des charges : *veterina* vaut pour « bêtes de somme ». L'origine du mot n'est pas claire : sans doute en rapport avec *vetus*, dont un diminutif a donné *vieux*. Dans ce cas, les vétérinaires seraient les gérontologues de l'animal, ce qui est visiblement insuffisant.

L'élargissement du sens de ce mot témoigne de l'évolution des mœurs : apparemment, on soignait dans l'Antiquité les vaches de réforme, les vieux chevaux, les mulets et les ânes ; dans les sociétés modernes, le vétérinaire, devenu récemment *véto*, comme le métallurgiste était appelé *métallo*, veille à la santé de tous les animaux qui entrent dans la sphère d'intérêt de l'animal humain, leur propriétaire : bêtes d'élevage, mais aussi animaux de compagnie, bêtes dressées, montrées et même, conquête récente, animaux en liberté menacés par la pollution, la chasse outrancière ou par d'autres dangers.

Cette sollicitude intéressée concerne surtout les mammifères et les oiseaux. Mais si on ne soigne pas les insectes, on les étudie, on les classe. Ainsi, l'homme a réparti les animaux en utiles et nuisibles, avant de s'apercevoir qu'il existe un équilibre naturel, et qu'à trop détruire les « nuisibles », on se nuit à soi-même.

Aujourd'hui, quand tout le monde tremble, de l'éleveur au consommateur, le savoir et la pratique des vétérinaires en font les témoins et le correctif de l'exploitation de la bête par l'homme, et des erreurs du tout économique. Le comité vétérinaire de l'Union européenne est un arbitre, qui essaie de limiter les dégâts. L'Europe agricole est une belle bête sérieusement malade : elle a besoin d'une thérapeutique vétérinaire, autrement dit, d'un remède de cheval.

2 avril 2001

Boycott

Les conflits sociaux, qui se multiplient en France, sont comme tous les conflits : ils entraînent un ensemble d'opérations destinées à affaiblir ou à faire plier l'adversaire. Parmi les répliques aux décisions de licencier ou aux politiques salariales par trop mesquines, il y a la grève et la manif, activités suffisamment pratiquées en France, au point d'être qualifiées par certains de « sport national ». Mais voici qu'on entend parler à nouveau du *boycott* (ou *boycottage*), mesure qui fonctionne assez bien dans les pays anglo-saxons, mais ne semble pas correspondre au caractère latin.

Boycotter, c'est non seulement refuser d'acheter un produit, mais surtout gêner ou empêcher une activité par une mise en quarantaine collective. Le mot a été créé en Irlande, quand fermiers et métayers irlandais tentaient d'amadouer les riches propriétaires terriens du XIXe siècle, souvent des Anglais. Ainsi, le capitaine Charles Boycott, qui refusait obstinément de baisser les contributions exigées de ses fermiers, fut en butte à la population locale, qui refusa d'avoir le moindre rapport commercial avec lui : on ne lui achetait plus rien, on ne lui vendait pas.

Le propriétaire est mis en quarantaine à l'automne 1880, et « traiter quelqu'un comme Boycott » devint proverbial, en anglais d'abord – *to boycott* – puis par la presse, dans toute l'Europe et en Amérique du Nord. On dit en français *boycotter* dès 1880, mais le *boycottage* ou *boycott* n'est pas devenu l'arme sociale absolue. Peut-être parce que cette action demande une discipline collective qui contrarie les habitudes et la liberté individuelle de décision. En outre, pour boycotter, par exemple, et au hasard, Danone, il faudrait identifier tous ses produits, ce qui n'est pas simple. Alors que des boycotts anglo-saxons ont pu être efficaces, on ne cite en France qu'un exemple de boycottage réussi. Mais justement, il concernait un type de produit, le veau aux hormones, et non pas un producteur identifié. Le capitaine Boycott, exploiteur autant qu'exploitant, était une cible reconnaissable, alors que nos multinationales globalisées sont des nébuleuses difficiles à viser. Nous vivons dans un monde où quelques gros messieurs Boycott règlent ce jeu ;

mais le jeu est devenu si complexe que ses maîtres sont inaccessibles. Vieux Boycott, on te regrette.

3 avril 2001

Indemnité

Les salariés veulent conserver leur travail, au moins quand leur entreprise fait des bénéfices. De leur côté, les entrepreneurs réclament la liberté de gérer leurs affaires. Devant cette contradiction, on peut soit laisser courir, soit intervenir. *On*, c'est le gouvernement, car on voit mal qui d'autre aurait le pouvoir de le faire. Les licenciements massifs sont baptisés gentiment « plans sociaux », ce qui ferait rire si ce n'était pas scandaleux, tant qu'il n'y a pas de plans sociaux d'embauche. On peut tenter de les rendre plus difficiles, ces licenciements, et plus coûteux. Le mot *indemnité*, qui désigne une compensation financière, alors qu'on ne compensera jamais avec un peu d'argent le bouleversement de la vie, n'est pourtant pas dérisoire, car il dit autre chose, et plus.

Le latin *indemnitas*, c'est d'abord le fait d'être préservé de tout dommage, car *indemne*, *in-demnis*, c'est « non endommagé », et le *dommage*, c'est un dérivé de *dam*, que nous connaissons encore dans l'expression *au grand dam*, qui signifie « au préjudice ». Le contraire d'*indemne*, à l'origine, c'est tout simplement *damné*, ce qui, une vingtaine de siècles après le latin, évoque des paroles célèbres de revendication sociale. Mais il y a loin entre « debout, les damnés de la terre » de *L'Internationale*, appel à la révolution sociale, et la modeste et pacifique *indemnité de licenciement*, qui, heureusement, existe déjà. Pourtant, toucher à la logique financière des entreprises trop licencieuses est interprété comme une véritable charge de cavalerie du gouvernement contre la forteresse entreprise.

Chaque époque a son combat social. Celui d'aujourd'hui a un objectif raisonnable : limiter les dégâts et les dommages humains qu'entraînent les gestions à finalité boursière. Si les mots pouvaient remonter le temps, *indemnité* ne serait pas seulement une compensation, mais l'état de ceux qui sont indemnes : la fameuse *sécurité*, en somme, que tout le monde réclame. Les mots sont-ils démagogues, ou simplement révélateurs ?

24 avril 2001

Assez

En avoir assez : c'est la réaction normale à une situation qu'on ne supporte pas. Les inondés, les menacés, les mal logés, les mal payés, les maltraités et tous ceux qui estiment l'être « en ont assez » et le font savoir. Et puis il y a ceux qui souffrent, en ont assez, et se taisent. Cette réaction est si normale et si fréquente qu'elle s'exprime par de nombreuses expressions : *assez !* a pour équivalents : « ça suffit, ça va comme ça, y en a marre, plein le dos, ras le bol, et zut, et merde… ».

Assez paraît correct, normal, banal et plat, alors que des expressions familières de même sens sont imagées et plus énergiques, même quand elles sont obscures, comme *en avoir marre*, dont on ne voit pas le rapport avec *se marrer*, même quand on est austère comme un Premier ministre, Lionel Jospin se définissant comme « un austère qui se marre ».

Mais en fait, *assez* est le résultat d'une expression latine pas du tout classique : *adsatis*, *satis* signifiant « suffisant ».

Quand ce qui suffit, c'est de la nourriture ou de la boisson, et qu'on est rempli, on est soûl. Et justement, *soûl* est l'un des mots qui viennent du latin *satis*, de même que *satiété* et *saturer*. Quand « ce qui suffit » est bien mesuré, on est *satis-fait*. En revanche, quand cela dépasse la mesure, apparaissent les sentiments d'injustice et de frustration ; alors, la coupe est pleine, ce que dit aujourd'hui « ras le bol », même si cette expression est à l'origine indécente.

Une autre expression, démodée mais assez savoureuse, exprimait l'idée d'en avoir marre et plus qu'assez ; on l'entendait dans l'argot parisien il y a un demi-siècle : *ça fait la rue Michel*. Pourquoi ? Parce que la rue Michel le Comte, personnage historique, municipal et oublié, était bien connue. *Ça fait le compte*, qui correspond à *la coupe est pleine*, *ça suffit comme ça*, était devenue *ça fait la rue Michel*. L'argot cache son jeu. Les populations et les citoyens excédés conservent un moyen simple et bref de s'exprimer : c'est le petit mot *assez !*, qui ne dissimule pas une réaction de colère devant le mauvais sort et l'injustice, et qui dit : « on en a jusque-là ». Les gouttes d'eau font déborder les vases ; alors que dire des millions de mètres cubes en excès ou des licenciements, surtout, paradoxe, lorsqu'ils sont secs ?

27 avril 2001

Pompes

Pour refouler l'eau envahissante, qui pourrit la vie des populations inondées, il faut de la technique. Les mots reflétant l'évolution des choses, on ne s'étonnera pas d'apprendre que celui-ci provient du néerlandais, car les Pays-Bas ont appris depuis des siècles à se défendre contre la menace des eaux. Le sens de *pompe* souligne le progrès technique : au XVe siècle, c'est une simple conduite d'eau ; cent ans plus tard, une machine à aspirer et refouler les liquides.

Le sort de ce mot qui évoque l'aspiration – c'est une onomatopée qui évoque la succion, tout comme *poupon* – fut varié : les pompes à incendie ont donné naissance aux *pompiers*, lesquels, par assonance, font *pin-pon* ; les *pompes à essence* se répandent dans les années 1920 du siècle dernier, et il ne faudrait pas oublier la célèbre *pompe à phynance* maniée avec brio par le terrible père Ubu d'Alfred Jarry pour aspirer l'argent d'autrui, et qui est devenue la technique majeure tant des États que du capitalisme privé.

On commence enfin à pomper l'eau envahissante du canal de la Somme, et malgré l'énormité des engins, les effets de la technique pompante paraissent faibles par rapport à la mauvaise volonté de la nature. On a parlé curieusement de coup d'épée dans l'eau, et on ne peut s'empêcher d'évoquer le perpétuel et inutile pompage des Shadoks[1].

En fait de pompes, les intempéries du climat et celles de la vie finissent par nous *pomper l'air*, expression qui n'est pas vulgaire, puisqu'on la trouve sous la plume d'oie du talentueux duc de Saint-Simon, observateur de la cour de Louis XIV.

En effet, si pomper l'eau, c'est tenter d'assécher, pomper l'air, c'est asphyxier. Un peu partout dans le monde, et ici même, on pompe l'air des citoyens et on les empêche de respirer.

L'Église romaine conseille au fidèle de renoncer à Satan, à ses pompes et à ses œuvres. C'est un mot différent, mais les idées se rejoignent !

30 avril 2001

Succès serré

Les résultats encore incomplets des élections italiennes semblent accorder à Silvio Berlusconi

1. Admirable film d'animation au graphisme anguleux et à l'esprit satirique affûté, célèbre à la fin du XXe siècle.

un succès personnel clair, mais un succès politique *serré*. Ce qui veut dire que la majorité de l'homme d'affaires politicien, nette à la Chambre des députés, pourrait être très faible au Sénat. N'empêche que *Forza Italia*, la « force Italie », slogan d'équipe de foot devenu nom de parti, devance ses adversaires. Le recul des extrémistes de droite de la ligue du Nord satisfait les observateurs ; le scrutin serré entre centre droit et centre gauche est diversement commenté. Pour messire Berlusconi, *il Cavaliere*, « le chevalier », ce qui, au XXIe siècle, concerne plutôt les chevaliers d'industrie que les redresseurs de torts, un succès serré doit avoir un aspect déplaisant. Il est pourtant habitué à *jouer serré*, mais c'est le plus souvent pour gagner large.

Serrer, c'est à l'origine « fermer », et exactement « barrer », puisque *sera*, en latin, c'était la barre de bois qui bloquait la porte. Un scrutin, et même un succès serré, ferme donc la porte à une action politique aisée. *Serrer* a rarement un aspect positif : serrer la vis, à la différence de resserrer les boulons, n'est pas exaltant, pour ne rien dire de serrer les fesses… ; se serrer la ceinture ne vaut guère mieux.

Ce serrage, ou serrement, des résultats politiques correspond en Italie à un équilibre quantitatif entre centre droit et centre gauche, alors que les voix semblent se porter sur des images plus que sur des idées, situation généralisée dans les démocraties-spectacles. L'Italie est politiquement en avance, en mal comme en bien, faisait observer récemment Alexandre Adler : mais cette avance est serrée. L'intrusion de la télévision et des affaires en politique, aujourd'hui, est symbolisée par celui que les Italiens ont finement surnommé *Su Emittenza*, à la fois Éminence et Grand Émetteur. Les émissions qui fascinent et qu'on regarde sans les approuver, nous connaissons aussi cela, en France. Constater que la télégénie et ce qu'on pourrait nommer la *télarchie*, qui peut tourner à la monarchie, produisent des résultats électoraux serrés, après des fantasmes de plébiscite, cela serait presque rassurant, même si ce succès laisse à beaucoup le cœur un peu serré.

14 mai 2001

Pluriel

Certains commentateurs, on vient de l'entendre, enterrent gaillardement la *gauche plurielle*. En inventant les expressions *gauche plurielle* et *majorité plurielle*, l'une des deux grandes tendances politiques qui divisent la France prenait une certaine avance dans la communication. La France est une République plurielle, bien qu'elle soit une et indivisible.

Car dans *pluriel*, *plurel* au Moyen Âge, ensuite *plurier*, il y a *plus*, et derrière le latin *plus*, le mot *plenus*, qui qualifie la plénitude. En politique, le pluralisme des partis est sans doute préférable au système du parti unique. Quant au mot *pluralité*, qui désigne aujourd'hui le caractère pluriel, il a voulu dire au XVIe et au XVIIe siècle « le plus grand nombre », autrement dit « la majorité », ce qui fait que *majorité plurielle* aurait alors été un pléonasme.

Mais revenons au début du XXIe siècle : ce qui se dit *pluriel* reconnaît son caractère propre : être formé de plusieurs éléments identifiables. En fait, toute communauté est plurielle, mais les besoins de l'organisation et de l'action peuvent masquer cette pluralité ou tenter de la réduire, au nom de l'efficacité. Cette tension entre pluralité et unité fait partie des données de la vie sociale.

Dès que la pluralité est reconnue, elle entraîne la critique des opposants ; elle devient rupture, cassure, schizophrénie et reçoit les doux noms de la division. Lorsqu'elle est niée ou masquée, cette pluralité, on parle d'*union*, et ce n'est pas contradictoire : ainsi, l'Union européenne est remarquablement plurielle, chacun s'en aperçoit. La majorité actuelle, en France, commence à subir les inconvénients de la pluralité, qu'il faut articuler avec ce qui doit rester commun dans le projet. Mais ceux qui parlent de gauche-querelle ne font que noter la tendance de toute pluralité. Et tout ce qui refuse d'être pluriel risque de présenter une façade monolithique qui cache des querelles, des violences et des déchirements. On ne saurait regretter que le Parti communiste soit devenu pluriel, ce qui le rend moins singulier. Cela présente des risques, ce qui est pluriel étant moins bien perçu que ce qui prétend à la singularité. Mais après tout, après un dîner pluriel, Robert Hue ou Lionel

Jospin peuvent eux-mêmes se pluraliser. D'ailleurs, Jacques Chirac, écologiste plus que les Verts, social plus que les socialistes, adepte de la politique de proximité, présente en ses discours une attrayante pluralité d'attitudes.

Parler pluriel, c'est possible ; agir pluriel, c'est plus difficile.

25 mai 2001

Travailleur

Le vocabulaire, en politique comme ailleurs, remplit deux rôles bien différents : les mots désignent et signifient, bien sûr, mais ce n'est pas tout : ils ont chacun leur personnalité, font penser à des usages, à des habitudes, ils ont une couleur et un parfum, et c'est souvent pour cela qu'on les choisit.

On a remarqué, et c'était remarquable, qu'un mot désignant une catégorie sociale, *salarié*, avait cédé la place, s'agissant des mêmes, exactement des mêmes, à un terme plus général, *travailleur*. Le salarié ne reçoit plus de l'argent pour acheter son sel, ce qui était le cas pour les soldats romains, mais tout simplement pour vivre. Le *travailleur*, si l'on s'en tient au mot, travaille. Derrière le mot *travail* se cachent le tourment, le supplice, car c'est un instrument de torture, le *trepalium*, qui lui a donné son nom. Le travail, à l'origine, est l'activité qui fatigue, éprouve. Même oubliée, cette origine continue à travailler le mot *travail*.

Pourtant, le travail a ses bons côtés, et d'ailleurs les travailleurs, outre qu'ils en ont besoin pour vivre, y sont attachés. Dans les luttes sociales, le droit au travail est une des requêtes les plus fortes. En Angleterre, le Parti du progrès social s'est intitulé *Labour party*, parti du travail et des travailleurs. En France, à côté de son emploi général, qui inclut les travailleurs intellectuels et les chefs d'entreprise, dont on dit que ce sont de grands travailleurs, *travailleur* et *travailleuse* se sont identifiés aux salariés, qui ont absolument besoin d'exercer leur activité professionnelle pour vivre décemment. Beaucoup d'entre eux sont, en termes marxistes, des *prolétaires*, définis par l'opposition du travail au capital. Mais *prolétaire*, porteur d'une idée-force accusatrice et dangereuse, celle de lutte des classes, a été marqué d'infamie, et le mot *prolétaire* ne fait plus recette. On ne parle plus beaucoup d'*ouvriers* et d'*ouvrières*, d'ailleurs – mais Arlette Laguiller, avec d'autres, ose évoquer la classe ouvrière, on vient de l'entendre. Finalement, puisqu'il faut bien parler de celles et de ceux qui luttent pour survivre en supportant l'organisation sociale et économique actuelle – et ses contraintes –, on a préféré des termes un peu techniques, bien propres sur eux, comme *salarié* ou *employé*. *Travailleur*, que l'on disait ringard – le mot –, reprend du poil de la bête. Il est vrai qu'il ramène avec lui l'opposition, qui fait frémir nos beaux libéraux, entre capital (pas seulement patrons, mais actionnaires) et travail. Et paradoxalement, les travailleurs au chômage et les travailleurs licenciés n'en sont pas moins travailleurs, car en refusant au travailleur son travail, on le travaille au sens premier du mot, comme un boxeur travaille au corps son adversaire. Travailleurs, travailleuses, ne vous laissez pas travailler !

30 mai 2001

Tabac

Le tabac est un fléau, c'est entendu. Pour nous, sa consommation est associée à la fumée et surtout à la cigarette, même si le cigare et la pipe ont leurs inconditionnels, presque tous des hommes, au moins dans nos climats, alors que la cigarette a aussi séduit les filles.

L'exécrable réputation médicale du tabac est récente : « je me souviens », comme dit Georges Perec, je me souviens des films en noir et blanc, où les volutes de fumée faisaient partie de l'image, et du président Pompidou, éternelle clope au coin du bec.

L'histoire est ironique : les amoureux de Molière se souviendront que le *Dom Juan* de notre grand dramaturge commence par un vibrant éloge du tabac, considéré à l'époque comme un merveilleux remède. La plante était arrivée en Europe avec le mot espagnol *tabaco*, déformation d'un terme entendu en Haïti dans la bouche des Arawaks fumeurs de pipe.

Le tabac, plante exotique, fait partie du jardin botanique venu d'Amérique au XVIe siècle, et qui comprend tomate, maïs, pomme de terre, haricot…

sans oublier le *cacaotl* et le *tchocolatl* des Aztèques. Mais le tabac, on l'ignorait, était un vilain petit canard. Je me demande, aujourd'hui, si on ne mettrait pas en examen André Thevet et l'ambassadeur Jean Nicot, qui ont importé et répandu la plante en France, le second donnant son nom à l'alcaloïde aujourd'hui en accusation, la « nicotine », et publiant, ce qui n'a aucun rapport apparent, le premier grand dictionnaire de la langue française.

Le tabac dûment transplanté, cueilli, haché, séché, on le mâcha, on le chiqua, on s'en bourra le nez grâce à la tabatière – ça s'appelait *priser* –, on le roula en cigares, on le brûla dans la pipe : d'ailleurs, le *tsibatl* des Indiens arawaks, transformé en *tabaco* par les Espagnols, désignait le tuyau par lequel ils aspiraient la fumée. Plus guère de calumet, maintenant, mais des cigarettes, invention diabolique du XIXe siècle.

Il est rare qu'une substance déclenche l'enthousiasme unanime – nos ancêtres du temps de Louis XIV plaçaient le tabac aussi haut que le chocolat –, puis la réprobation non moins unanime. Le tabac, c'était un rêve, et il faut bien admettre que c'est un rêve parti[1]. La jeunesse, dirait-on, qui se veut moderne, retient surtout des habitudes anciennes les erreurs. Le plaisir ringard de fumer est pimenté d'interdiction. Faudra-t-il rendre la cigarette obligatoire pour détacher les chères têtes blondes, mais légères, d'une coutume dangereuse ?

31 mai 2001

1. En franglais, une rave party.

Grande vitesse

La relation entre le temps et l'espace, ou, plus précisément, la maîtrise de l'espace dans le moins de temps possible, s'appelle *vitesse*. C'est devenu au XXe siècle, et ça continue au XXIe, une obsession, qui peut aller jusqu'à la frénésie. Rien ne va assez vite : les voitures, les avions, les trains bien sûr, le courrier, le travail, les nouvelles, les journées, les nuits… Tout cela alors que la vie, notre réserve de temps, s'allonge.

Vitesse, rapidité, célérité, hâte ? Comme dit la sagesse commune, il ne faut pas confondre vitesse et précipitation. L'être humain d'aujourd'hui tend à les confondre, pourtant, comme le faisait *L'Homme pressé* de Paul Morand. Vite fait, vite dit, vite vu, vite oublié, et pas toujours « vite fait bien fait ».

Le train à grande vitesse, c'est trop long à dire : c'est devenu en français TGV. La langue aussi veut filer à grande allure, et les abréviations, sigles, apocopes (la *télé*) et aphérèses (un *bus* pour *autobus*) vont bon train, si l'on peut dire. On ne dit plus « à tout à l'heure », « à plus tard », mais « à plus ». On ne dit plus « comme d'habitude » mais « comme d'hab ». Mais que fait-on du temps ainsi gagné ?

La vitesse se paye, en argent, et aussi en accidents, en stress. Pour monter en trois heures de Marseille à Paris, il a fallu pas mal de pèze, de fric, de thune, de patates, beaucoup de travail, et… du temps.

Du travail, la grande vitesse en donne : les horairistes, dont je viens d'apprendre l'existence, doivent être sur les dents. En outre, la vitesse fait du bruit, crée des nuisances : les riverains du TGV et des aérodromes l'éprouvent désagréablement, eux qui voient et écoutent passer trains et avions sans bouger et sans l'avoir demandé.

Avant de prendre son sens moderne – mais c'était il y a huit siècles, car les mots, eux, ne se pressent pas –, *vitesse* a voulu dire « habileté » et parfois « ruse ». Et il est vrai que les plus malins vont plus vite : de là peut-être la bonne réputation de la vitesse, mais aussi la société à deux vitesses. Tout est relatif : la course de vitesse produit l'excès de vitesse et par conséquent des limitations de vitesse.

Mais ne boudons pas notre plaisir : nos trains « gévé », outre leur bruit impressionnant, produisent un cocorico technique du plus bel effet. Pourtant, on a le droit de remarquer qu'un aller-retour entre Phocée et Lutèce produit six heures de très grande vitesse pour se retrouver au même endroit. On va encore plus vite en ne bougeant pas !

Cela dit, j'adore les trains, même ceux à petite vitesse, avec la nostalgie des TPV de ma jeunesse…

7 juin 2001

Explication

C'est un peu le leitmotiv, ces jours-ci : le défaut d'explications, et la demande d'explications. La justice demande des explications de toutes parts. Un seul exemple : elle reproche à un prélat ses silences protecteurs, quant aux pédophilies cléricales. Moins graves mais irritantes, les explications insuffisantes et hésitantes de la SNCF aux passagers des TGV défaillants. Et les accrocs à la cohabitation ont pris dans la bouche du Premier ministre la forme du verbe *s'expliquer*, orné de deux compléments circonstanciels qui aggravent l'affrontement. S'expliquer *devant* les journalistes pour l'ancien trotskiste ; *devant* les juges pour son vis-à-vis élyséen.

L'explication, c'est le remède au secret, y compris le secret d'État, et ce devrait être un droit pour l'opinion. Il n'y a pas que les journalistes et les juges qui recherchent les explications : la démocratie s'en nourrit.

Expliquer, *ex-plicare*, c'est déplier et, au figuré, rendre clair – autrement dit, *élucider* – ce qui est caché, replié, embrouillé, entortillé, pas clair du tout. L'explication, c'est le pourquoi d'un fait incompréhensible et la raison, peut-être la justification, d'un comportement.

Là où les choses se compliquent, c'est quand la requête d'une explication est réciproque : on passe alors d'expliquer à s'expliquer. L'explication devient une variante de l'affrontement. La langue populaire l'exprime par des menaces du genre : « Viens dehors, si t'es un homme, on va s'expliquer. » L'explication entre le président et le Premier ministre est à peine plus douce. Si la culture du secret fait place à celle du pugilat, on n'aura pas avancé sur la voie de l'explicite, ne serait-ce que parce que l'émotion, la colère, l'indignation et tous les sentiments vifs dont raffolent les politiques, qui s'en servent, recouvrent la calme raison, et que la polémique interdit toute véritable explication.

On a envie de dire : cessez de vous expliquer réciproquement mais expliquez-vous l'un et l'autre, et surtout expliquez-nous.

14 juin 2001

Émeute

Plusieurs termes expriment l'action populaire, pacifique ou violente, dirigée contre un pouvoir qui n'est plus supporté. Ces mots, dans une gradation, vont de *manifestation* à *émeute*, puis à *soulèvement* et *insurrection*, jusqu'à *révolte*, avec pour terme *révolution*, qui met le régime politique contesté sens dessus dessous (*révolution*, c'est retournement) et, finalement, le remplace.

La manifestation, même avec un peu de casse, est d'abord faite pour manifester, pour exprimer une opinion, une revendication, une protestation, le plus souvent sans brutalité. En revanche, l'émeute et, plus encore, l'insurrection supposent que la protestation devient action et qu'une violence spontanée s'oppose à la violence du pouvoir et de ses serviteurs, qu'on appelle sans rire les « forces de l'ordre », l'ordre au sens militaire.

Dans cette perspective, l'émeute serait l'apparition des forces du désordre, avec affrontements, saccages et destructions, réels ou symboliques. On dit alors que la manifestation tourne à l'émeute.

À la différence de *manifestation* et d'*insurrection*, où l'on reconnaît l'idée de *soulèvement* et le verbe *surgir* –, *émeute* est un mot dont la raison d'être est oubliée. Ce n'était pas le cas, en France, avant le XVIIe siècle, où le rapport de ce mot avec *esmeu*, l'ancien participe passé du verbe *esmovoir*, *émouvoir*, était parfaitement perçu. L'émeute, qui a pris au Moyen Âge le sens de mouvement insurrectionnel, exprime une violente émotion. À l'époque de Louis XIV encore, on parlait d'*émotion* à propos d'un début d'insurrection.

Mais *émeute* est alors passé des idées de mouvement et d'émotion à celle de violence collective, violence que l'on n'interprétait pas encore en termes de contenu politique. On peut noter que le mot arabe que nous traduisons par « révolution », *thawra*, signifie concrètement et au figuré « soulèvement » : cela va du sable que soulève le vent du désert au taureau furieux et à la montée de la colère.

L'idée de soulèvement populaire conduit tout naturellement à celle de révolte, qui est un retournement (mot né en Italie, *rivolto*, de *rivolgere*, « retourner ») et finalement, à *révolution*. Et le moteur, c'est le mouvement, l'émotion et la fureur de l'opinion, quand le peuple est poussé à bout. C'est ce que disait ce mot, *émeute*, et ce que continuent à affirmer *révolte*, *insurrection*, et des mots berbères que j'ignore, mais qu'il faudra maintenant évoquer[1].

15 juin 2001

Neutralité

Les mots *neutre* et *neutralité*, que je souhaitais aborder pour répondre à Noël Mamère, puisque je n'ai pu le faire hier, manifestent une remarquable ambiguïté.

Appliquée à la peine de mort, la neutralité n'est certainement pas de mise. Ne pas être contre, c'est être pour. Il en va de même pour toute situation où il s'agit de prendre parti sur un système général inacceptable, surtout antihumaniste. En outre, la neutralité est ambiguë, ce que soulignait Albert Camus dans *L'Homme révolté* :

« En régime capitaliste, l'homme qui se dit neutre est réputé favorable, objectivement, au régime ; en régime d'Empire [autoritaire, totalitaire], l'homme qui est neutre est réputé hostile, objectivement, au régime. »

En revanche, la neutralité entre deux ou plusieurs opinions, ou entre des personnes, qui consiste à ne favoriser ni l'une ni l'autre, est une attitude de raison. Cette neutralité est alors impartialité et le mot *neutre* retrouve sa valeur originelle. *Neuter*,

1. Des populations de Kabylie venaient de manifester violemment contre le gouvernement algérien.

c'est en latin *ne uter*, « aucun des deux », *uter*, « l'un des deux », exprimant le choix.

C'est le sens positif du mot, qui exprime d'abord en français le pacifisme, le refus de prendre parti dans un conflit.

Mais lorsque *neutralité* devient synonyme d'indifférence, ou simplement d'ignorance, la notion devient perverse. On peut, on doit rester neutre devant l'affrontement d'adversaires, et cela doit signifier « sans pré-jugé », « sans favoritisme ». Mais on ne peut rester neutre devant une situation imposée qu'on juge mauvaise, voire insupportable.

Le rôle du *bel indifférent* ne va pas du tout à la véritable neutralité. Quand on prend une attitude neutre devant une situation brutalc, telle la peine de mort en Chine ou aux États-Unis – Amnesty International en répertorie bien d'autres –, cela ressemble trop à une dérobade. La neutralité doit conserver sa valeur première : ne pas favoriser sans réflexion l'une des deux situations ou opinions, *a priori*. De même, la neutralité entre démocratie et totalitarisme est de nature à ruiner la vraie neutralité, celle qui choisit entre des options comparables, et acceptables.

22 juin 2001

Épidémie

La première réunion de l'ONU sur un sujet médical – on se demande pourquoi c'est la première –

va être consacrée au sida. Ce mal est un syndrome, une association de symptômes. Depuis son apparition, en 1962, le sida est devenu l'épidémie du siècle, d'abord frappant des personnes dites « à risques » dans les pays riches, ensuite se développant massivement jusqu'à devenir l'une des plaies qui accablent l'Afrique.

Ces épidémies, fléaux des populations, portaient en latin un nom que nous connaissons bien, *pestis* : la peste d'Athènes au Ve siècle avant l'ère chrétienne, la peste de Rome, en 165, furent probablement des épidémies de typhus ou de choléra. Ce n'est qu'au XIXe siècle que *peste* prend son sens actuel, avec la découverte du bacille de Yersin, alors que le terme *épidémie* conserve une valeur générale.

Épidémie, sous diverses formes approximatives, apparaît au Moyen Âge, par emprunt au grec, où le mot est formé de *épi-*, « au-dessus » ou « dans », et *demos*, « le pays » et « le peuple », le *démo-* de *démocratie*.

Le mot s'applique à l'apparition dans un pays, dans une population, d'un grand nombre de cas pathologiques.

La raison d'être des épidémies, que l'on a subies passivement jusqu'au XIXe siècle, mais dont on connaît pourtant la nature à partir du XVIe siècle, c'est la contagion, mot apparenté à *contact*, avec l'élément qui signifie « toucher », *tangere*. La contamination par un virus, celui de l'immunodéficience humaine, ou VIH (en anglais HIV), est la cause reconnue du sida.

Le sida s'est mondialisé, et quand une épidémie se mondialise, elle devient *pandémie*. Or, la lutte contre le sida, qui a fait des progrès médicaux notables, échoue pour des raisons politico-économiques. Les traitements capables de juguler l'épidémie ne sont à la portée que des pays riches. La réunion de l'ONU, qui n'est pas une instance médicale, manifeste le vrai caractère des grandes épidémies : un mal collectif, plus catastrophique dans les populations et les États dépourvus de moyens financiers. Pour le biologiste, l'ennemi est un virus ; pour tout le monde, un autre ennemi s'est dévoilé : l'inégalité économique, représentée (entre autres) par les intérêts financiers des multinationales pharmaceutiques. Sans diaboliser les grands laboratoires, on doit admettre que l'épidémie des égoïsmes, celle des valeurs de marché financier, celle des indifférences sont aussi mortelles que celle des virus. Des agents infectieux, en vérité.

25 juin 2001

Coup de pouce

Le relèvement du SMIC un peu au-delà du chiffre de l'inflation est généralement qualifié de *coup de pouce*. Cette expression correspond aujourd'hui à « soutien, aide », mais, sans vraiment le dire, elle évoque une action plutôt discrète, car le mot *pouce*, s'il désigne un doigt assez charnu, évoque aussi la petite taille. À preuve, le célèbre

Petit Poucet de Charles Perrault. Le coup de pouce ne vaut pas le coup de main.

Le mot latin d'où vient *pouce*, *pollex*, a désigné le gros orteil ; pour autant, coup de pouce n'est pas coup de pied. En français, le mot suscite un nombre étonnant d'expressions, comme *y mettre les quatre doigts et le pouce*. On peut aussi *manger sur le pouce*, ce qui est tout de même assez acrobatique. Quant à *mettre les pouces*, c'est « s'avouer vaincu ». Là, l'image est moins claire, sauf si l'on se souvient qu'avant les menottes on coinçait les pouces des prévenus dans des « poucettes ». En politique, comme dans la vie quotidienne, *mettre les pouces*, « abandonner », permet parfois de se *tourner les pouces*, geste symbolique de la paresse, ou plutôt de l'inaction ; cependant, en français québécois, *voyager sur le pouce*, expression traduite de l'anglais, c'est faire de l'autostop.

Quant à notre *coup de pouce*, il ne fut pas toujours innocent. Dans les chapitres argotiques des *Misérables* de Victor Hugo, *donner le coup de pouce* signifie « occire », peut-être à cause du rôle du pouce dans le coup de couteau – ou de l'étranglement. À la même époque, *donner un coup de pouce dans la balance* correspond à une malhonnêteté de commerçant, qui triche sur le poids de sa marchandise. De là l'expression *donner le coup de pouce* qui correspondait à « faire pencher la balance en sa faveur ». Ce genre de coup de pouce est parfaitement égoïste. Enfin, on peut dire des déclarations et explications politiques qu'elles travaillent, tel le sculpteur traditionnel, par coups de pouce successifs.

Le coup de pouce au SMIC, dénoncé comme trop fort par le Medef, comme infime et symbolique par les syndicats, est-ce un acte entièrement altruiste, dénué des intentions politiciennes du coup de pouce interventionniste ? Quoi qu'il en soit, et malgré l'absence de rapport entre *pouce* et le verbe *pousser*, trop ou pas assez de coups de pouce produit la réaction critique : « Faut pas pousser ! » Le pouce est un instrument délicat, à manier avec précaution.

26 juin 2001

Témoin

Le mot *témoin*, aujourd'hui employé dans l'expression juridique *témoin assisté*, a une riche et longue histoire.

Le témoin, c'est originellement le ou la « troisième », puisque le mot latin *testis*, d'où vient *testimonium* (qui s'est transformé en *témoin*), vient de la racine indo-européenne *tri-*, « trois ». Dans toute affaire où s'affrontent deux parties, un « troisième homme – ou femme » est requis(e) pour exprimer une vérité supposée neutre et objective. Le mot latin *testis* correspondait à une idée si nécessaire que ses composés ont suscité en français plusieurs verbes courants, comme *attester*, « rendre témoignage ». D'autres sont plus inattendus. Par exemple, *contester*, où s'exprime l'affrontement de témoins qui affirment des choses incompatibles, ou encore *détester*, d'abord « repousser un témoignage ». Il y a aussi *protester* au sens d'« affirmer avec énergie ». Sans même parler, avec les Romains, de « petits témoins », pour évoquer une partie du corps masculin qui témoigne de la virilité : tel est le sens de *testiculus*, que je vous laisse le soin aisé de traduire.

Le témoin, dans la langue quotidienne, est ce qui apporte une preuve, qu'il s'agisse d'un événement ou d'une personne. Quand on « prend à témoin » quelqu'un, on s'appuie sur son dire, le témoignage, et on s'en sert comme preuve.

L'idée du *témoin* est devenue essentielle en droit ; elle y garde la force initiale du mot. Le *témoin* n'est pas seulement la personne qui assiste à un événement, un accident, par exemple, et qui peut dire ce qu'elle a vu ou entendu, mais celle qui apporte des preuves et contribue à la décision de justice. En tant qu'acteur, et pas seulement spectateur, le témoin est censé dire le vrai. C'est faire bon marché de la nature humaine, des faiblesses de la mémoire, des confusions involontaires et des présentations orientées. Surtout quand le témoignage concerne les activités du témoin lui-même. L'adage qui dit « on ne saurait être à la fois juge et partie » pourrait être assorti de « on ne saurait être à la fois témoin et mis en cause ». La notion assez perverse de « témoin assisté » est venue bousculer les significations. Assisté par un avocat, le témoin n'est plus vraiment témoin, car peut-on vraiment être le témoin de soi-même, sous la menace d'une « mise en examen » ? Dans la série des euphémismes, le témoin assisté, tout le monde l'a compris, fait partie des précautions (de langage) inutiles.

4 juillet 2001

Orage

La saison des orages, nous y sommes, autant dans les coups de colère de l'atmosphère que dans les situations politiques explosives. Le mot *orage* sonne en général comme une menace : le ciel se charge, le vent se lève, l'électricité atmosphérique se décharge en éclairs accompagnés d'un bruit éclatant ou sourd, la pluie s'abat violemment. Voilà l'orage, qui correspond à une tempête locale et brève, et qui peut causer de graves dégâts.

Cependant, le mot n'a pas toujours apporté la menace. De même que l'ensemble des feuilles se nomme *feuillage*, l'ensemble des vents, appelés *aures* en ancien français, *ora* en provençal, c'est l'*aurage*. *Aure*, c'était le latin *aura*, « le vent, le souffle, la brise favorable ». Mais les choses se sont dégradées et le vent favorable s'est mué en tourmente.

Pourtant, après l'humidité lourde et les nuages noirs, l'orage qui éclate est comme un message de vérité : enfin, les choses changent, la nature parle, un désir de révolution se manifeste. C'est du moins l'interprétation romantique de l'orage. « Levez-vous vite, orages désirés », clamait le jeune René de Chateaubriand, l'un des grands écrivains qui sut le mieux décrire les orages naturels tout en appliquant le mot aux soubresauts de l'Histoire.

« Des orages nouveaux se formeront – lit-on dans les *Mémoires d'outre-tombe* –, on croit pressentir des calamités qui l'emporteront sur les afflictions dont nous avons été comblés… » C'est inquiétant, mais ça a de la gueule.

L'orage fait peur, mais il brise le silence sournois des afflictions quotidiennes ; l'orage menace, mais il rompt le silence et peut libérer les oppressions, à commencer par celles des habitudes et des lourdes banalités, par les tristes pesanteurs partagées, par le poids de la niaiserie, des platitudes manipulées et surveillées que déversent certaines lucarnes. L'orage, ce pourrait être le coup de torchon qui balaye les fausses valeurs. Le mot retrouverait alors ses origines : l'aura, le bon vent qui fait tomber la pollution.

6 juillet 2001

Nation

En reprenant ce « mot de la fin », qui est aujourd'hui pour moi un mot de retrouvailles[1], j'ai eu envie d'un terme qui nous importe et dont

1. Après l'interruption estivale.

l'emploi est délicat. C'est Jean-Pierre Chevènement, proclamé « troisième homme » de la campagne présidentielle après un sondage flatteur, qui me l'a gracieusement fourni, en se réclamant avec insistance de l'idée de « nation ». Certes, Chevènement n'est pas seul à parler « nation » : le mot vient d'être employé dans ce studio par François Hollande.

Alors que le mot *patrie*, *patria*, évoque le pays du « père », *nation*, du latin *natio*, *nationis*, c'est d'abord la naissance, puis l'appartenance par naissance.

En vieux français comme en latin, une nation est soit une naissance, soit un peuple. Dans l'Évangile, « enseignez toutes les nations », c'était, pour les apôtres, convertir les peuples païens. Il fallut attendre le XVIIIe siècle pour que *nation* s'applique au peuple français, d'abord au tiers état.

Puis un arrêté de juillet 1789 définit la nation comme « la personne juridique constituée par l'ensemble des individus composant l'État ».

Mais l'État est un ensemble d'institutions, alors que la nation est une communauté humaine de fait et de droit. Elle suppose l'appartenance à une culture et la volonté de vivre ensemble. La Révolution française tenta d'organiser la nation en « chose commune », *res publica*, rejetant le « pouvoir d'un seul », la « mon-archie ».

L'idée de nation a dû évoluer, car le droit de naissance, la lignée, ne peut suffire à la définir dans le monde de l'immigration et du métissage.

Nation a plus ou moins remplacé la cité, *polis* en grec, *civitas* en latin. C'est pourquoi l'homme, la femme de la nation est *citoyen* ou *citoyenne*. Sa majorité, c'est le peuple, en grec *demos*, et c'est pourquoi les nations modernes se réclament de la *démocratie*. Celle-ci inclut aujourd'hui bien des monarchies, comme le montrent le nord de l'Europe ou bien l'Espagne.

État, *nation*, *patrie*, *pays*, *république*, *démocratie* et aussi *pouvoir*, *souveraineté* ; quand un homme ou une femme politique s'appuie sur un de ces termes, le choix n'est jamais neutre.

C'est un mot magnifique, *nation*, mais attention à ses dérivés : le nationalisme connaît bien des dérives...

10 septembre 2001

Écologie

Les difficultés du candidat vert à la présidence (et non : du candidat à la présidence verte), Alain Lipietz, concernent une intention de stratégie politique, et ne passionnent pas forcément l'opinion. Les Verts ne verdoient plus guère, ces temps-ci. Mais les problèmes internes de mouvements et de tendances quelque peu hétérogènes ne doivent pas faire oublier l'essentiel. Cet essentiel, c'est une attitude générale concernant l'environnement humain, appelée *écologie*. Voilà un mot bien compromis par la politique : si *écolo* ou

Vert – dans ce sens : en allemand *Grün* – sont entrés dans le vocabulaire des partis et dans les enjeux électoraux, c'est tout de même parce que ces mots contiennent une innovation majeure dans notre vision du monde. Ils correspondent à la prise de conscience d'une évolution dramatique pour la planète. *Écologie*, donc. Le mot est apparu peu après 1870 en France ; il avait été employé vingt ans avant par le moraliste et poète américain Thoreau (*ecology*) et surtout par le grand biologiste allemand Ernst Haeckel pour désigner les rapports des organismes vivants avec leur milieu, qu'on appellera plus tard *environnement*. Cette double paternité est symbolique : l'écologie est l'enfant de la morale et de la science. Science et conscience, si l'on veut. Son nom est tiré du grec *oikos*, « la maison, l'habitat, le milieu de vie ». Théoriquement, l'*économie* est la mise en ordre (*nomos*, « la loi ») de la maison – on en est loin dans la pratique – alors que l'*écologie* est l'étude objective, scientifique des environnements, pour toutes les espèces vivantes. Voilà le point de vue du savant. Mais celui du moraliste, coauteur de ce mot, insiste sur l'aménagement raisonnable du milieu humain et veut donc lutter contre les atteintes qui blessent la nature. Du coup, la logique éco-logique peut contredire celle de l'éco-nomie, qui fait triompher la loi du marché.

Pas étonnant, contre la toute-puissance de l'économie, que l'écologie ait donné naissance à un courant politique. Mais la science et son désir d'objectivité s'entendent mal avec l'action collective, la sensibilité « écologique » renâcle devant la discipline idéologique et hiérarchique qui caractérise les partis politiques. Il est facile de se moquer des remous qui agitent les Verts ; mais que l'on réexamine la nature de l'*écologie* et on s'aperçoit qu'un mouvement qui s'en réclame, malgré les ratés, contribue à ranimer un débat fondamental et à sortir du ronron idéologique masquant les forces discrètes qui nous gouvernent.

11 septembre 2001[1]

Risque

Les accidents, même quand on les dit être tels « à quatre-vingt-dix-neuf pour cent » – ce qui laisse un pour cent au scepticisme –, ne sont pas imprévisibles. La possibilité, voire la probabilité d'un accident, d'une catastrophe, le danger prévisible, cela s'appelle le *risque*.

Ce mot nous est arrivé d'Italie au XVIe siècle. Est-ce à dire que nos bonnes gens du Moyen Âge étaient insouciants au point d'ignorer le risque ? Certes non, mais on parlait de *péril* et de *danger*, et ces mots sont toujours en activité. On parle aujourd'hui de situations « à risques ». Le risque est souvent masqué, ou caché, et le mot lui-même est

1. Chronique prononcée à l'heure habituelle, 8 h 56 ou 57 ; c'est en début d'après-midi qu'on apprendra les terribles nouvelles de New York, puis de Washington. Voir la suite de ces chroniques.

obscur au départ : peut-être l'idée d'un rocher pointu (*resectus* en latin) qui met en danger navires et cargaisons, ou bien un vocable de la bagarre, apparenté à *rixe*. On ne risque rien à rêver.

Cependant, les risques sont là. Apparemment, le risque nous est familier et on ne cherche pas toujours à le fuir : ne dit-on pas *courir le risque* d'un inconvénient ? Ce qui correspond à lui courir après, comme d'autres courent les filles ou les garçons.

À force de *courir* les risques, on les rejoint. À force de *prendre* des risques, on les attrape et on les garde. Nos sociétés trop avides de facilités, de confort, d'argent, sont peu sensibles au risque ou bien s'en accommodent : il y a bien des primes de risque. Quand le drame éclate, on ne comprend pas : puis on cherche des responsables. Or, par définition, le risque est un mal prévisible : nous sommes collectivement responsables de certains risques ; mais pour d'autres, on a décidé à notre place. Le catalogue des risques, on le voit s'enrichir dans les mots : on parle de risques de guerre au XIXe siècle, de risque professionnel, de risque social au XXe siècle, puis de risque aérien, nucléaire, terroriste, chimique, routier, sans parler des risques pénaux. Il paraît – c'est un grand physicien, Louis de Broglie, qui le dit – que « le risque est la condition de tout succès » ; mais quand le risque se réalise, aucun succès ne vaut plus un clou. En tout cas, les inventeurs de l'expression « risque zéro » méritent un zéro. Pointé.

27 septembre 2001

Urbain

Si le mot *ville* appartient à l'usage le plus courant, l'adjectif *urbain*, plus savant, a mis du temps pour être accepté. Pourtant, il vient du mot latin désignant une vraie et grande ville, en particulier la ville par excellence pour les citoyens romains, Roma, verlan graphique de *Amor*. Le mot *ville* procède de *villa*, qui était une grosse ferme, puis une agglomération très modeste, dans la campagne. Les fameuses « villes à la campagne » d'Alphonse Allais sont une tautologie étymologique ; il en aurait bien ri.

Les mots latins de la ville étaient *urbs* et *civitas*, qui a donné *cité*. Pour qualifier ce qui concerne la ville ou la cité, la langue française n'avait pas d'adjectif, avant d'adopter *urbain*, mot qui était plutôt employé au figuré, pour « élégant, poli, de bon ton », avec son dérivé *urbanité*. Aujourd'hui, on est souvent plus urbain à la campagne qu'à la ville, il me semble.

Ce n'est qu'à l'époque où les villes françaises se développent, au XVIIIe siècle, que *urbain* s'oppose à *rural*, et seulement au XXe siècle qu'on connaît l'*urbanisme*, l'*urbanisation* et les *conurbations*. Les problèmes de la ville sont si nombreux que l'adjectif *urbain* nous est devenu indispensable. L'*espace urbain*, le *milieu urbain* s'opposent à la campagne, les *transports* en commun sont plus souvent *urbains* que ruraux, et devant la dégradation de l'*habitat urbain*, on doit parler – on le fait aujourd'hui – de *renouvellement urbain*. Et, malheureusement, l'expression *terrorisme urbain* est devenue normale, après la *violence urbaine*, qui oblige à la vigilance.

C'est dire qu'à propos de la ville, incluant d'ailleurs les banlieues, ce qui est qualifié d'*urbain* est assez négatif, à part des réalités techniques comme le chauffage urbain. Cela, malgré l'existence évidente d'une beauté urbaine ou d'un art urbain, qu'expriment plutôt des mots comme *urbanisme* et *urbanistique*, qu'employait déjà Le Corbusier il y a plus d'un demi-siècle.

La mauvaise réputation de la ville n'est pas nouvelle. L'amoureux de la nature qu'était Jean-Jacques Rousseau, fatigué de Paris, écrit dans *les Confessions* qu'il va « se tirer un peu de l'urbaine cohue » ; cc qu'il parvient à faire en allant « à la campagne », c'est-à-dire à Passy. Il est moins facile aujourd'hui d'échapper au milieu urbain ; aussi bien est-il urgent de l'améliorer au lieu de le laisser envahir sauvagement les zones voisines, et dégrader l'environnement naturel.

1er octobre 2001

Déblayer

Lorsqu'une catastrophe détruit des bâtiments, ce qui accompagne guerres, bombardements, attentats, explosions, elle produit, entre autres choses désastreuses, des décombres. Ce mot vient d'un verbe disparu, *décombrer*, qui est le contraire d'*encombrer*. Les mots sont capricieux : on ne décombre plus, mais on déblaie. J'ai entendu plusieurs fois ce verbe, ce matin même, à propos du chantier gigantesque sur le site des deux tours effondrées du « centre commercial mondial » de New York. Les victimes de l'explosion de Toulouse ont dû eux aussi déblayer leur logement ravagé. Le déblaiement ou déblayage – les deux se disent – est aujourd'hui une activité en expansion et les déblais envahissent d'autres lieux que les chantiers de démolition.

Ce verbe évoque, pour nous, la terre, les gravats, des matériaux mis à mal, le résultat d'une destruction. Or, le verbe *déblayer* ne dit pas du tout cela : figurez-vous, Stéphane[1], mais peut-être le savez-vous, que c'est un dérivé de *blé*, tout comme *remblayer*, d'ailleurs. Si les mots étaient plus raisonnables, on ne déblaierait que la récolte de grains, après la moisson, et on remblaierait les populations affamées, les Afghans par exemple, en leur envoyant du blé, ce qu'on tente de faire. De fait, *déblayer* a eu au XIIIe siècle le sens de « récolter le blé », mais ça n'a pas duré. Rapidement, l'idée de se débarrasser de quelque chose a pris le dessus. Peut-être aussi que le verbe *balayer* a interféré avec *déblayer*.

Déblayer le terrain, c'est donc le débarrasser de ce qui l'encombre, et notamment des décombres.

1. Stéphane Paoli, animateur passionné de la « tranche » dont cette chronique était « le dernier mot ».

Comme *dégager*, *déblayer* est nécessaire pour effacer les traces de la destruction. Nécessaire aussi dans les têtes pour éliminer tout ce qui rappelle les catastrophes : d'une certaine manière, le déblaiement fait ce fameux « travail du deuil », qui dégage les décombres de l'âme.

Comment le langage a-t-il pu passer du blé, ce produit symbolique de la vie, à la terre et aux décombres ? Les mots sont vraiment étranges, mais le plus étrange, c'est que nous les acceptons avec leur folie, sans doute parce qu'elle n'est qu'un reflet de la nôtre.

2 octobre 2001

Croisière

À propos des frappes américaines en Afghanistan, on entend beaucoup parler de missiles *de croisière*. Ces mots sont d'apparence innocente, puisque *missile*, comme *émissaire*, n'est qu'un objet « envoyé » et *croisière* l'action de *croiser*. Ce verbe, spécialisé en marine, signifie « aller et venir dans certains parages », en croisant, donc, d'autres navires, par exemple pour les surveiller. Avions et missiles croisent aussi, mais dans le ciel, et les missiles de croisière, qui s'opposent aux missiles balistiques, sont propulsés avec un guidage plus précis. Les oiseaux afghans peuvent dire : « Tiens, j'ai encore croisé un missile ! »

Croiser, *croisière*, *croiseur* lance-missiles, voilà bien des dérivés de *croix* engagés dans ce conflit.

Forcément, cela fait penser à *croisade*, mot fabriqué après les expéditions historiques où les combattants chrétiens se signalaient par une croix sur la poitrine : cela s'appelait *se croiser* et, pour cette opération, on a parlé au XIIIe siècle de *croisière*. On se souvient que George Walker Bush avait eu l'idée douteuse de parler de *crusade* à propos de la riposte étatsunienne aux extraordinaires attentats qu'on sait. Sans doute ignorait-il que les expéditions chrétiennes du Moyen Âge contre l'islam avaient suscité le développement de la doctrine d'*al jihad*, « l'effort extrême » pour défendre la religion musulmane, notamment par la « guerre sainte ». Cet effet en retour fait penser à l'organisation des combattants musulmans antisoviétiques suscitée par les États-Unis, avec, pour effet imprévu, les talibans. À propos d'effet en retour, heureusement que les missiles sont nommés *tomahawk*, nom algonquin d'une hache de guerre, et pas *boomerang*, mot aborigène d'Australie.

Et puisque les mots ont mauvais esprit, à propos de ceux de la croix, on évoquera l'expression *la croix et la bannière*, qui utilise deux symboles de la procession, pour dire : « la situation est compliquée à plaisir par les formalités et les symboles ». En ce moment, la bannière évoque un drapeau étoilé. Quant à la croix, pour terminer sur une note moins grave, j'ai trouvé dans les *Pieds nickelés* (les vrais, cuvée Louis Forton, 1909), ce passage où *bannière* a le sens de « pan de chemise ». Croquignol, qui s'est fait voler ses vêtements après une baignade, se lamente ainsi : « On n'a même plus une liquette à faire flotter sur nos abattis ! C'est la croix sans la bannière ! » Cette croix-là n'est pas très catholique. Sous le comique, on dirait presque une mise en garde.

9 octobre 2001

Psychose

Un mois après les terribles événements de New York et de Washington, le monde est inquiet. Deux types de nouvelles entretiennent cette inquiétude, et chacun cherche ses mots. Quant à l'action militaire américaine contre le régime des talibans, on parle de *riposte*, de *représailles*, de *justice* – ce qui relève d'une rhétorique officielle – mais aussi de *frappe* et de *guerre*. Quant aux menaces de nouveaux actes terroristes, elles déclenchent ce qu'on peut nommer *appréhension*, *inquiétude*, *crainte*, *peur*, *angoisse* et, collectivement, *panique*, ou – il me semble que c'est le mot qui monte – *psychose*.

Mot révélateur, puisque ce type de peur obsessionnelle prend le nom de la maladie mentale par excellence, maladie de l'âme, puisque le latin *anima* traduisait le grec *psukhê*, qui nous a légué tout un vocabulaire en *psycho-*. Le suffixe *-ose*, d'origine grecque lui aussi, désigne une maladie, un désordre. Après *névrose*, c'est un Allemand qui inventa ce nom, *psychose*, pour désigner les troubles mentaux sans base physiologique connue. Peu à peu, ce terme commode envahit la psychiatrie et remplaça le terme peu scientifique qu'est *folie*. Dans la psychose, à la différence de la névrose, le malade n'a pas conscience de son état pathologique. Dans des circonstances réellement dangereuses, *psychose* dit que l'appréhension est excessive, exagérée, qu'elle tourne à l'idée fixe. Ce mot est rassurant dans les faits, s'il est inquiétant pour l'état mental d'une communauté.

Dans la situation actuelle, *psychose* est lié à une crainte précise, celle de ce qui vient d'être nommé *bioterrorisme*, en utilisant les expressions *arme* ou *guerre biologique*, où l'arme est un bacille ou un virus, c'est-à-dire un être vivant, *bio-*. Dans la rage de « mots-valises » à l'anglaise, on parlera peut-être de *biopsychose*, voire de *biotrouille*. Du coup, le bioterrorisme devient un *psychoterrorisme*, ce que le terrorisme a toujours été. *Psychose*, pour « peur collective », suggère la part d'irrationnel et de déraison dans l'appréhension. Au fait, *psychose*, plutôt qu'une angoisse bien compréhensible, caractériserait mieux la folie des terroristes, assassins des autres et d'eux-mêmes et enragés par un virus nommé *fanatisme*.

11 octobre 2001

Paix

Coïncidence frappante : l'Académie de Suède décerne le prix Nobel de la paix au moment où la violence des armes est déchaînée sur l'Afghanistan.

Est-ce bien une coïncidence ? Plutôt un rappel de l'Histoire, et un avertissement. L'avertissement, c'est que la plupart de ceux qu'on a célébrés par ce prix, Gorbatchev, Arafat, Yitzhak Rabin, ont échoué. Ce qui montre qu'il est plus facile de faire la guerre que de parvenir à la paix. Les processus de paix, comme on dit, sont plus ardus que ceux de guerre, où triomphent la technique et la politique.

Le mot *paix* a trop souffert de ses valeurs passives, même bénéfiques. L'état de paix, l'*otium* des Romains d'où vient *oisif*, a fini par masquer la force et la vertu du mot *pax*, à l'origine de *paix*. *Pax*, c'était la recherche d'un accord entre belligérants, une négociation, et donc une action : tout sauf la tranquillité béate.

Si l'idée de paix souffre d'anémie, comme en témoignent les dérivés *paisible*, *apaiser*, elle ressent un autre danger, qui est la contamination par son contraire, la guerre. Témoin l'expression *paix armée*, qui ressemble terriblement à *guerre froide*, ou bien le célèbre adage latin : « si tu veux la paix, prépare la guerre », qui n'a de sens que lorsqu'on donne à *paix* le sens de « pacte ». Sinon, préparer la guerre a toujours le même effet, à savoir la guerre.

Préparer la paix est tellement plus difficile ! Dans le monde actuel, c'est, par exemple, atténuer la misère et la frustration d'une partie du monde. La violence, terreur ou guerre – c'est la même chose – prétend toujours combattre le mal, au nom d'une illusion qu'on pourrait appeler homéopathique : traiter le mal par le mal.

La paix consiste à s'opposer à toute violence, à celle de l'ennemi, mais aussi à la sienne propre. La guerre est une pente naturelle. La paix un effort surhumain. Si le Nobel de la paix allait à Kofi Annan, cela pourrait signifier : il est temps que l'ONU se réveille et tente de déclarer la paix.

12 octobre 2001

Taliban

Aux antipodes du monde de l'économie moderne, c'est un mot d'origine arabe, un pluriel, inconnu en français il y a quelques années, et qui illustre le cheminement qui fait entrer dans notre langue une forme empruntée.

Vous l'avez deviné, c'est *taliban*, facile à prononcer pour nous, à condition d'oublier la phonétique originale d'un mot arabe passé dans une autre langue, le pachtoun. Rien n'indique que c'est un pluriel, ni qu'il signifie « les étudiants ». Heureusement, car cette signification est trompeuse. En fait d'étudiants, même si ces études se bornent à des sourates coraniques sélectionnées et interprétées, les talibans sont, nul ne l'ignore, les responsables d'un régime politico-religieux qui, au nom d'une loi stricte supposée conforme à l'islam, a prétendu ramener l'Afghanistan au Moyen Âge, un Moyen Âge d'ailleurs inventé, consistant à éliminer la pensée, le plaisir, la liberté, à contraindre, intimider, terroriser et à soumettre les femmes.

Difficulté pour la langue française : ce pluriel, le singulier étant *talib*, est devenu un nom singulier : un talib*an*, des talib*ans*. Donc, pas de *taliban* invariable, sauf à dire un *talib*, des *taliban*. Nous avons eu le même problème avec *touareg*, dont le singulier en berbère est *targi*, pluriel *tawarig*, adapté en *touareg*. Bien des pluriels sont devenus en français aussi des formes singulières – si j'ose dire – : un spaghetti, par exemple, avec un pluriel en *s* pour s'intégrer au système français.

Pour *taliban*, l'affaire est entendue, d'autant que c'est devenu depuis peu un adjectif : la *politique talibane*. À moins d'exiger l'apprentissage du singulier et du pluriel dans toutes les langues du monde, on doit considérer ce genre d'emprunts comme des mots français, mieux intégrés d'ailleurs que bien des emprunts à l'anglais. Pour traiter le problème taliban, c'est-à-dire pour éliminer un régime abominable, autant en parler simplement, à notre manière. Quand on dit : « des moujahiddin antitalibans », *moujahiddin* est le pluriel arabe de *moujahid*, on fait de la salade linguistique. Ce qui n'empêche pas de reconnaître dans ce mot le radical de *jihâd*.

23 octobre 2001

Enlisement

La politique militaire des États-Unis en Afghanistan manifeste la volonté de ne pas *s'enliser*, comme fit naguère la Russie. Les commentateurs emploient couramment, à propos des risques de ce conflit, les mots *enliser*, *enlisement*. Aujourd'hui connus de tous les francophones au sens de « s'enfoncer dans une situation qui réduit à l'impuissance », et, au sens propre, bien que ce soit une sale affaire, « s'enfoncer dans des sables mouvants », ces mots sont purement régionaux, à savoir, normands. Ils viennent d'un mot ancien, *lise*, écrit avec un *s* ou un *z*, qui désignait depuis le XIe siècle des sables appelés *mouvants*, dans lesquels on risque de s'enfoncer.

Enlisement était inconnu dans le reste de la France quand Victor Hugo, en exil à Guernesey où l'on parlait encore le français de Normandie ou le dialecte normand – le patois, disent les voisins –, fit connaissance avec ce mot qu'il trouva expressif.

Et c'est certainement Hugo, par un chapitre des *Misérables*, qui fit connaître *enlizement*, qu'il écrit avec un *z* dans une description saisissante de « cet épouvantable enterrement, long, infaillible, implacable, impossible à retarder ou à hâter [...] l'enlizement, c'est le sépulcre qui se fait marée et monte du fond de la mer vers un vivant [...] ».

On comprend qu'une armée, qu'un pouvoir ait grand-peur devant de tels risques. Car on s'enlise dans n'importe quel genre de situation ; du moins on le dit, après un remarquable écrivain, normand, bien sûr, Villiers de L'Isle-Adam. *S'enliser*, façon imagée de dire s'enfoncer, s'empêtrer – le fond, la pierre –, tous mots de l'immobilisation et de l'impuissance, illustre l'enrichissement de la langue de tous par les usages régionaux. Nous en prononçons tous les jours sans le savoir, de ces mots de l'Ouest, du Nord, du Midi et de l'Est qui célèbrent la diversité du français. Ainsi, « les rescapés de l'enlisement » sont à la fois picards et normands ; pas sûr qu'après traduction ils soient étatsuniens...

24 octobre 2001

Toussaint et Halloween

En ce matin du 1er novembre, la tradition catholique célèbre une fête qu'on a du mal à interpréter.

Cette fête porte pourtant un nom très clair : la Toussaint, écrit bizarrement sans *s*, alors que *saint* y est forcément au pluriel.

Si on dit *la* Toussaint, c'est parce que l'expression ancienne était *la feste tous sainz*, avec la construction ancienne qu'on connaît encore dans *Hôtel-Dieu*, qui veut dire « maison de Dieu ».

Premier novembre, donc, fête de tous les autres saints, histoire de n'oublier personne dans la longue liste des personnages qui font l'objet d'un culte. Fête collective de rattrapage, en quelque sorte. Ces personnages ne sont déclarés saints – canonisés – qu'après leur mort, mais cette fête dédiée à des intercesseurs actifs est sans autre rapport avec la fête des morts, célébrée le 2 novembre, demain.

Quant à *Halloween*, l'expression anglaise déforme *all holy eve*, « la veille de Toussaint », donc le 31 octobre. On veut donner à *Halloween*, pur américanisme d'abord employé en français au Canada, une origine celtique, mais la forme mercantile de cette fête a balayé toute tradition folklorique. *Halloween* est un carnaval macabre et une entreprise commerciale ; la *Toussaint* une fête catholique, alors que la fête des morts, plus grave et plus humaine, célèbre la mémoire des disparus. Ce n'est pas seulement un rituel funéraire, mais la recherche d'un souvenir apaisé, une fête de la mémoire et de la tendresse, une célébration du deuil, ce travail éprouvant. On la dédiera à toutes les victimes, celles de la folie meurtrière, celles de la maladie ou de l'accident, celles des catastrophes naturelles, qu'il s'agisse de saints ou de pécheurs, de jeunes ou de vieillards, d'Américains ou d'Afghans, d'Africains ou d'Européens.

Une pensée pour le regret, la tristesse, l'affection plutôt qu'un culte et que des rites, plutôt qu'une guignolade morbide. Trois jours symboliques : drôle de fête.

1er novembre 2001

Clinique

En France, les cliniques privées protestent et font grève. Paradoxe d'une société où l'État et le libéralisme économique avancent à cloche-pied, chacun faisant des crocs-en-jambe à l'autre. Les directeurs et médecins de cliniques privées veulent des sous publics pour mieux payer infirmiers et infirmières. Cette sollicitude, cette confiance dans la générosité du contribuable sont émouvantes.

Les cliniques sont indispensables, quand les hôpitaux sont insuffisants. Ces deux mots, *clinique*, *hôpital*, sont, malgré les fonctions analogues qu'ils désignent, très différents. Alors que l'un célèbre l'hospitalité et a longtemps fait office de refuge et d'asile, avant de se médicaliser, l'autre, *clinique*, qui remonte au grec, est consacré à une médecine qui s'exerce au chevet du malade. Le chevet, c'est la tête du lit, et en effet la *klinikos tekhné* des Grecs de l'époque d'Hippocrate, c'est mot à mot la technique du lit, *klinê*, ce qui pourrait suggérer autre chose à nos libidineux compatriotes.

Mais l'hôpital ne vous reçoit pas comme un *hôtel*, mot de même origine, et la clinique ne se borne pas à vous fournir un lit, dont on espère qu'il sera douillet. Non : l'un et l'autre vous soignent, prennent soin de vous. Or, cela coûte cher, et comme l'État-providence a inventé la Sécurité sociale, le voilà sollicité pour soutenir, non seulement le secteur qu'il assume en médecine, mais aussi le secteur clinique, qui revendique son libéralisme.

Compliquée, l'affaire des cliniques, mais rien d'étrange à cela, car le mot a peut-être trop changé de sens. On ne parle d'*une clinique* que depuis un siècle environ, alors que *la clinique*, c'est-à-dire l'enseignement des professeurs de médecine donné auprès des malades alités, se pratique depuis longtemps et, évidemment, dans les hôpitaux et autres CDH.

Clinique, qui nous parle aujourd'hui d'une gestion et d'un financement, est à l'origine un mot technique de médecine : depuis le XVIIe siècle, la clinique était une des formes de cet art. On peut penser qu'il aurait dû le rester ; après tout, le chef de clinique est un praticien éminent, pas un gestionnaire.

6 novembre 2001

Agenda

La réunion qui s'ouvre à Doha, capitale du Qatar, l'émirat dont on parle, va aborder – encore une fois ! – les problèmes du commerce mondial, selon un agenda. Après l'échec des sommets troublés de Seattle et de Gênes, c'est une discussion de rattrapage. Un des mots qui évoquent par avance les problèmes successifs, c'est *agenda*, qui désigne un calendrier-programme. Mot familier, car, sous forme d'un petit carnet qu'on met dans sa poche, l'agenda joue le rôle quotidien de mémoire des choses à faire, de pense-bête, du mouchoir auquel on recommandait naguère de faire des nœuds.

Les choses à ne pas oublier, il y en a tant, dans la vie internationale, qu'il faut bien en faire et en refaire la liste. Le mot, mine de rien, montre l'efficacité de la langue latine qui, à partir du verbe *agere*, qui a donné *agir*, fournit *agendum*, pluriel *agenda*, forme régulière de la conjugaison qui signifie « les choses que l'on doit faire ». En latin chrétien, au Moyen Âge, *agenda dei* était le programme du jour en matière d'office divin. Aujourd'hui, ce n'est plus de Dieu qu'il s'agit, mais du Veau d'or. Difficile d'oublier que l'agenda implique d'énormes affaires d'argent : le premier emploi laïque du mot, en France, concernait un registre de comptes municipal, il y a presque cinq cents ans. Depuis, le livre des choses à faire, et à financer, s'est peu à peu élargi à la planète entière.

Priorités, réformes, engagements, hiérarchie des problèmes, réduction des injustices hurlantes que créent ou que révèlent la mondialisation et la libéralisation, les deux mamelles du commerce international, voilà quelques aspects de l'agenda apparent de l'OMC. Quant à l'agenda réel, certains disent qu'il aménage l'écrasement des peuples par les intérêts capitalistes intangibles, commerce oblige. De critiques en échecs, les agendas successifs du commerce international ont oublié la nature de l'agenda : non pas liste de possibilités, mais d'actions nécessaires : on demande moins de déclarations de principes ; plus de réel. *Agenda* est apparenté à *agir*, *action*, *agent*, mais aussi à *protagoniste* et *antagoniste*. Car toute action est une lutte. Pour le moment, l'agenda de la mondialisation libérale relève pour le moins de ce que Steinbeck appelait « un combat douteux[1] ».

9 novembre 2001

Crash

À propos de l'Airbus qui s'est écrasé sur le faubourg de Queens, à New York, on entend constamment un mot qui me gêne : *crash*. Heureusement, le verbe *se crasher*, encore plus déplaisant à cause de l'homonymie, est généralement évité : on se souvient alors qu'il existe un verbe français pour ce genre de catastrophe : *s'écraser*. Profitons-en pour rappeler qu'il existe aussi un nom pour dire le choc destructeur d'un avion qui tombe, et c'est *écrasement*.

Certes, *crash*, c'est plus bref qu'*écrasement* : mais deux syllabes contre trois, quatre si l'on est du sud de la France, ce n'est tout de même pas un tel effort, que diable !

Crash, qui a l'air d'une onomatopée et qui est bien un anglicisme, est tout de même un peu léger à propos d'un drame qui fait des centaines de morts et qui peut terrifier l'opinion mondiale. Le crash, pardon, l'écrasement, c'est l'événement matériel, brut. Dans le cas d'un gros avion qui s'écrase au sol, il peut s'agir d'un accident ou d'un attentat (on dit en anglais une *attaque* terroriste, *terrorist attack*) et c'est dans tous les cas une catas-

1. *In dubious battle*, mot à mot « dans une bataille douteuse ».

trophe, ces mots concernant tous les aspects de l'événement, *attentat* précisant sa cause.

Quant à la facilité de l'anglicisme, d'ailleurs devenu international, elle rappelle l'emploi de *krach*, dont l'orthographe révèle l'origine germanique (néerlandaise et allemande, précisément) à propos d'une déconfiture bancaire.

Il ne s'agit pas de se gendarmer contre l'anglicisme, d'autant plus que *crash*, qui s'emploie en français depuis 1958, a la même origine qu'*écraser* : un mot d'ancien scandinave qui a donné aussi l'anglais *craze* et le dérivé *crazy*, mot à mot « pété, éclaté », autrement dit « cinglé ».

Les langues se croisent, on le sait, et c'est normal. Mais *crash* et surtout *se crasher*, en français, ressemblent vraiment à des onomatopées de bédé, évoquent le crachat et sont presque une insulte aux victimes et à leurs proches.

13 novembre 2001

Rocambolesque

Après l'affaire des paillotes, le procès des paillotes. Ces événements politico-gendarmesques et corsico-insulaires suscitent par leur bizarrerie un vocabulaire de l'étonnement : surprenante, bizarre, extravagante, abracadabrante, sans *-esque*, et finalement, rocambolesque, cette affaire corse où la paille fait véritablement long feu, jusqu'à provoquer un « incendie d'État ».

Rocambolesque est un joli mot, car sa sonorité cascadante évoque les rebondissements d'une histoire animée et peu vraisemblable. C'est bien le sens originel de cet adjectif, qui rend hommage au personnage principal d'un célèbre feuilleton du XIXe siècle, riche de plus de quarante volumes d'aventures aussi inattendues qu'invraisemblables. L'auteur ? Paul Alexis, vicomte Ponson du Terrail, qui compensait un style plus que négligé par le côté piquant du récit. Piquant et agréable, c'était l'effet produit par la variété d'échalote appelée *rocambole*, et c'est sans doute la raison du nom du terrible héros de ce roman-feuilleton. L'origine du mot *rocambole* est bien entendu obscure, et on pourra imaginer pour ce mot des aventures rocambolesques. L'échalote d'Espagne, nommée en français *rocambeau*, puis *rocambole*, était pourtant de qualité médiocre et de bas prix, d'où le sens de « chose sans valeur », un peu comme les nèfles. Flaubert craignait que l'art ne devienne « je ne sais quelle rocambole, au-dessous de la politique comme intérêt », ce qui, chez l'auteur de *L'Éducation sentimentale*, n'était pas un compliment.

En effet, si l'affaire des paillotes n'est pas de la politique, ce pourrait être une sorte d'art inférieur, un happening administratif raté, un film comique, « les gendarmes d'Ajaccio » sans de Funès. Décidément, *rocambolesque* traduit bien l'étonnement de l'opinion devant les bizarreries et les obscurités des affaires – comme on dit –, mais un étonnement amusé, incrédule, un peu méprisant. Et il est vrai que le feu de paillote corse, vu de New York ou de Kaboul, ça ne fait pas trop sérieux.

On disait au Palais de justice, il y a deux siècles, que la requête civile était « la rocambole des procès ». On reste donc dans une tradition française.

18 novembre 2001

Climat

Le climat nous inquiète, et sur plusieurs plans. Le climat politique, social, moral des nations modernes pose déjà bien des problèmes, et voici que le climat physique de notre planète manifeste des sautes d'humeur inquiétantes. Pour une fois, on n'accuse pas le destin ou la malchance : le réchauffement climatique est clairement l'effet d'un développement industriel hâtif, incontrôlé, irresponsable, mais nécessaire. La pollution est humaine, mais sûrement pas humaniste, ni humanitaire.

Le mot *climat*, très ancien en français, a une origine bizarre. Il remonte, par le latin, au verbe grec *klinein*, qui signifie « pencher » et que l'on retrouve dans *incliner*. Ce verbe avait en grec un dérivé, *klinê*, « le lit où l'on se couche », ce qui est une manière extrême de se pencher, mot d'où vient *clinique*.

Pourtant, le fait que nos climats sont bien malades et qu'il faut se pencher à leur chevet n'a rien à voir avec cette étymologie. C'est en astronomie que l'inclinaison de la sphère céleste, la partie du ciel qui domine chacun des points cardinaux, a conduit à l'idée de région du monde. On dit encore, de manière un peu affectée, *climat* pour « région » ou « pays ». La théorie des climats, chère à Montesquieu, n'est pas seulement météorologique, mais géographique. C'est seulement à la fin du XVIIIe siècle que les climats deviennent ce que nous connaissons : des conditions de l'atmosphère. Comme celles-ci dépendent de la place occupée par un lieu sur la planète, le sens du mot a pu évoluer tranquillement. Mais les climats peuvent changer en un même lieu. La preuve : les rejets excessifs de gaz produits par l'industrie ont fini par modifier l'ensemble des climats. Le fameux réchauffement et ses effets en sont témoins.

Climat malade donc, ou plutôt climat agressé, attaqué, un peu assassiné. Tant que notre monde à demi conscient et peu organisé acceptera qu'on achète et qu'on vende un droit de polluer, ça ne pourra pas aller beaucoup mieux. En attendant, climat tendu autour du climat malade car ce sont les auteurs de la maltraitance qui sont chargés de soigner le maltraité. L'affaire est mal partie.

20 novembre 2001

Libéralisme

Au début du XIXe siècle, exactement après la chute de l'Empire, le mot *libéralisme* n'existait pas et il a fallu l'inventer. Les *libéraux*, eux, bénéficiaient déjà d'un adjectif ancien et agréable, puisqu'il renvoyait à l'idée de liberté et, grâce au latin *liberalis*, de générosité et de noblesse. Ainsi, les arts libéraux, *artes liberales*, s'opposaient aux « arts – c'est-à-dire aux techniques – mécaniques » : on les trouvait seuls dignes d'un homme libre. Pas gentil pour les artisans. C'est à ce sens du mot que l'on doit l'expression *profession libérale*.

Le mot *libéral* entre en politique au milieu du XVIIIe siècle, mais c'est avec la Révolution française qu'il s'impose : Bonaparte se voulait (nous disent les historiens) « le témoin des idées libérales », mais on ne peut pas dire que l'empereur Napoléon Ier ait conservé intact ce programme. D'abord opposé à la monarchie autoritaire, le jeune libéralisme fut brandi contre l'Église. Mais les libéraux finirent par se tourner contre le socialisme, lorsque celui-ci se répand vers 1848. Ce qui soulignait qu'on pouvait avoir des idées assez contradictoires de la liberté.

Quant au libéralisme économique, il résulte – à la même époque – du désir de rassembler tous les emplois du mot *liberté* : liberté de conscience, contre l'Église, liberté de la presse, contre l'exécutif, liberté de concurrence, contre l'économie d'État, déjà illustrée sous l'Ancien Régime par Colbert. Ce libéralisme-là se référait aux grands économistes anglais : David Ricardo, Adam Smith. Avec un slogan connu des historiens, « laissez faire, laissez passer » : liberté d'entreprise, liberté des échanges.

Bien entendu, le sens réel du libéralisme, aujourd'hui, ne dépend ni de son nom ni de son histoire au XIXe siècle, mais du contexte contemporain, devenu supranational ou multinational, sinon mondial. Dans la réalité des États-nations, le libéralisme pur paraît à beaucoup une abstraction. Dans les années 1930, déjà, l'écrivain chrétien Daniel-Rops affirmait : « Nous sommes dans la période du libéralisme bâtard, qui n'ose plus dire son nom et fait sournoisement appel à l'État, son vieil adversaire. » Qu'en dirait le président des États-Unis, présumé très libéral, lorsqu'il soutient ses transports aériens défaillants avec des moyens d'État ? Nécessité fait loi...

La morale de l'histoire : il est bien difficile de faire entrer une idée, exprimée par un seul mot, *libéralisme*, *étatisme* ou *socialisme*, dans les réalités, qui sont rebelles, têtues, contradictoires. Dans l'usage français courant, *libéralisme* a mal tourné : on lui fait porter un chapeau, je veux dire un préfixe, et on oppose *ultralibéral* à *social*. Est-ce bien raisonnable ?

21 novembre 2001

Aiguilleurs

L'actualité sociale, par le chapelet traditionnel des manifestations, revendications, protestations, et bien sûr, des grèves, égrène les noms d'un grand nombre de professions : aujourd'hui, nous avons le choix entre les internes des hôpitaux et les aiguilleurs de la SNCF.

Aiguilleur est un joli mot, visiblement dérivé de *aiguille* qui, en latin, signifie logiquement « chose pointue », car *aiguille* correspond à *aigu*.

Pourtant, les aiguilleurs ne furent jamais affectés aux travaux d'aiguille et les tricoteuses ne furent pas des aiguilleuses. En fait, c'est le mot *aiguille* qui s'est mis à désigner quantité d'objets techniques, des tiges, des pointes et, au début du XIXe siècle, un rail mobile, terminé en biseau et dont le mouvement latéral permet de passer d'une voie à une autre formant angle avec la première. Ce dispositif astucieux a suscité une fonction humaine, celle d'*aiguilleur*, mot qui apparaît en 1845 avec le développement des premiers chemins de fer en France. Cette fonction a d'ailleurs énormément évolué : entre le cheminot arc-bouté pour tirer le lourd levier qui commandait les rails mobiles et le régulateur installé devant un tableau commandé par ordinateur, le progrès technique a frappé. Apparemment, le progrès social n'a pas toujours suivi.

Les aiguilleurs aiguillent, et ce verbe s'est mis à signifier « orienter » ou « diriger », ce que font, sans aiguilles et sans rails, ceux qu'on appelle les « aiguilleurs du ciel ».

Sans manquer de respect à ces professions, on observera que leur nom a mobilisé un seul sens du mot *aiguille*. Cela sans même évoquer d'anciennes petites aiguilles, ces aiguillettes, cordons à bout de métal qui servaient à attacher la jupe ou le haut-de-chausses. D'où les expressions *courir l'aiguillette*, pour « courir les filles », et *nouer l'aiguillette*, pour « rendre un homme impuissant, par quelque maléfice ». On n'ira pas jusqu'à dire que les aiguilleurs en grève nouent l'aiguillette au trafic ferroviaire, mais on peut y penser.

Les aiguilleurs ont simplement l'intention de revaloriser leur « filière », mais, de fil en aiguille, c'est la filière « voyageurs » qui trinque.

29 novembre 2001

Victime

Devant une situation extrême, insupportable, les mots paraissent soit insuffisants, soit mal orientés. Dans le spectacle tragique du terrorisme – le vocable exprime la terreur, mais n'en dit pas l'origine –, de la guerre – qui peut ressembler à un terrorisme d'État –, des attentats, on peut retenir la violence, c'est trop peu dire, le sang, le carnage, la mort, ou bien insister sur le sort de ceux et celles qui ont subi le pire, les *victimes*.

C'est un mot qui exprime le sacrifice. La victime, être vivant tué pour satisfaire les dieux, était en principe un animal. Est-ce le soupçon de sacrifices humains ou une simple comparaison qui a fait passer le mot des animaux aux humains ? Toujours est-il qu'on a nommé *victimes* celles et ceux qui souffrent et meurent par la violence d'autrui et, en particulier, ceux qui furent injustement condamnés et exécutés par le régime de la Terreur révolutionnaire.

Les victimes de violences individuelles, dans les périodes troublées, s'effacent devant le grand nombre des victimes de la guerre, du terrorisme ou des catastrophes « naturelles ». On ajoute souvent que les victimes sont innocentes et que le terrorisme est aveugle. La guerre aussi est aveugle, et ses instruments, bombes, missiles. Si les pires attentats suscitent des ripostes, au nom de la justice, mais aussi pour venger les victimes, cela amorce une spirale de violence et produit de nouvelles victimes, sans ressusciter les morts ni consoler leurs proches.

Victime, qui évoquait déjà une volonté divine cruelle, vient d'acquérir une nouvelle ambiguïté : avec les attentats suicide ou, comme on dit, les bombes vivantes : les victimes, tuées, déchiquetées, incluent désormais les bourreaux, promus sacrificateurs dans une parodie du sacré. Parler de *martyr* n'explique rien, car ce terme exprime un « témoignage » de foi par sacrifice de sa propre vie.

Ces martyrs-bourreaux que sont les kamikazes se croient les vengeurs d'autres victimes, dont la plupart étaient elles aussi innocentes. Si les notions de guerre et de terrorisme sont en train de se confondre, celle de victime semble stable : les victimes souffrent, saignent, meurent, quel que soit l'instrument du carnage : couteau ou bombe, explosifs militaires ou aériens, bombes humaines. Et le mot va plus loin, dénonçant des armes plus sournoises : l'appauvrissement massif d'une partie du monde, par exemple. On détruit des vies humaines, parfois, et c'est le pire, au nom de Dieu : il est étrange que le mot *victime*, qui suscite aujourd'hui des sentiments humains, la compassion, l'amour de sympathie – ce mot qui signifie « souffrir avec » porte en lui un message de fureur sacrée.

3 décembre 2001

Gendarme

Avec les manifestations et les revendications collectives, la gendarmerie française vient d'accomplir un geste historique : faire entrer l'armée, à laquelle elle appartient, dans le secteur des questions sociales, entre affrontement et dialogue. Et pour un coup d'essai, comme dans *Le Cid* de Corneille, ce fut un coup de maître : les gendarmes ont obtenu de leur ministre de réelles satisfactions, ce qui met un autre ministre, celui de l'Intérieur, maître de la police, dans une situation étrange.

Les gendarmes, ce sont d'abord des gens armés, des soldats, des cavaliers. Et déjà, au XIVe siècle, une faute de français : on dit *un écuyer gendarme*, puis *un gendarme*, alors que *gens*, avec ou sans armes, est à l'évidence un pluriel. On ne dit pas *un jeune gens* ni *un gens du voyage*. Quant à *gendarmerie*, c'est un mot collectif. Mais, s'agissant d'un ensemble de personnes, on a besoin d'un singulier et d'un pluriel. C'est d'ailleurs ce qui arrive ces temps-ci au mot *personnel*, collectif s'il en fut jamais, qui devient individuel : on entend de plus en plus souvent : *un personnel, des personnels.* Faute de français aujourd'hui, sans doute ; probablement règle demain, comme avec *un gendarme* au lieu d'*un homme d'armes*.

Installé dans le bon usage du français, le gendarme a changé de nature pendant la Révolution : il demeure un militaire, un soldat – justement, la question de solde, de rémunération, se pose toujours –, mais il est chargé de missions d'ordre public, de « police » au sens général du terme.

Un décret du mois d'août 1792 a créé la *gendarmerie* moderne, et le gendarme va devenir au XIXe siècle le symbole, à la fois respecté et moqué, de l'ordre public. On l'oppose au voleur, et cela devient un jeu ; on s'en moque gentiment, en le traitant de Pandore, d'après une chanson célèbre de Gustave Nadaud (vous savez : « Brigadier, répondit Pandore, brigadier vous avez raison ! », avec l'accent). Plus énergiquement, on l'emmerde avec la maréchaussée tout entière, à moins qu'on en fasse l'objet de films d'intention comique. Mais la tactique du gendarme de Bourvil l'emporte sur celle de Saint-Tropez, devenue totalement ringarde. Ayant remplacé le bicorne, qu'on appelait *chapeau de gendarme*, par le képi ou le casque, le gendarme modernisé ne fait plus l'objet de moqueries. La *peur du gendarme*, toutefois, ne suffit pas à rendre les automobilistes français raisonnables[1].

1. En 2005, c'est la peur du radar qui agira.

Aujourd'hui, le gendarme veille sur une sécurité menacée, et il est menacé par la violence ; mais aussi, il revendique et fait plier le gouvernement : indispensable tout comme le policier, il a assoupli cette raideur proverbiale, celle du militaire, qui a fait appeler *gendarmes* des harengs saurs et des saucisses sèches. Et même si les mots peuvent toujours mentir, ils disent aussi des vérités : il était normal que les gendarmes finissent par se gendarmer.

10 décembre 2001

Acharnement

Dans les affrontements armés comme en tout affrontement, ou bien l'un cède, ou bien les adversaires s'acharnent. Faute de trêve, d'armistice ou de reddition, le combat se poursuit. Alors, les ennemis, parfois même les simples concurrents, font preuve d'acharnement, attitude irrationnelle et dangereuse. Le plus fort s'acharne, alors que le plus faible, qui refuse de céder, s'obstine. La zone montagneuse de Tora Bora, en Afghanistan, subit la violence technique américaine, au nom de la justice : le mot *traque*, qu'on emploie à ce sujet, paraît bien faible ; en outre, on ne saura s'il est adapté que lorsqu'on saura où sont vraiment les dirigeants d'Al-Qaïda. En tout cas, *acharnement* s'impose. Le verbe *s'acharner* signifie depuis neuf siècles « poursuivre une proie humaine vivante », sens courant du mot *chair* au Moyen Âge. D'où l'idée de « combattre avec violence ». Le mot *chair* est étonnant par son ambiguïté, car le latin *caro*, *carnis*, d'où il vient, s'il a produit *carnation*, « couleur de la peau », a aussi engendré *carnage*, *carnassier* et *carnivore*. Pourquoi tant de violence ? Sans doute parce que la chair des animaux a reçu son nom d'un verbe indo-européen qui signifiait « couper, partager ». C'est probablement le dépeçage des bêtes chassées et des victimes des sacrifices qui a produit le sens à la fois sacré et alimentaire du mot *chair* avant toute suggestion sexuelle. Du coup, *acharner* et *acharnement* deviennent logiques, et se détachent du mot *chair* qui, de son côté, est devenu moins sanglant et parfois franchement érotique, comme en témoigne l'adjectif *charnel*. Encore que le côté cannibale de l'amour est souligné par nos pénétrants psychologues.

Rechercher l'amour de la chair dans l'acharnement militaire serait pour le moins paradoxal. Oubliée l'étymologie, l'acharnement est devenu une forme de violence obstinée, à l'image de celle de l'animal qui poursuit sa proie. Il est vrai que dans l'affaire afghane, la proie pourchassée que représente Al-Qaïda, avec ses alliés talibans, a manifesté qu'elle était un redoutable prédateur. À propos d'Oussama Ben Laden, autre paradoxe, on discute de son aptitude à devenir aux États-Unis l'homme de l'année. À quand le prix Nobel de l'acharnement dans l'horreur et du massacre ? L'origine archaïque et oubliée de l'acharnement, la destruction de l'être vivant, qu'il soit tué et dépecé pour se nourrir ou pour honorer les dieux, habite encore ce vocable. Il arrive que les mots donnent un certain vertige.

12 décembre 2001

Interne

Lorsqu'on nous annonce que les internes sont en effervescence, nous comprenons parfaitement qu'il est question de médecine hospitalière. L'interne est assimilé à un jeune médecin, même s'il ou elle n'est pas encore docteur en médecine. Les internes sont des praticiens en formation. *Interne* est un adjectif très général, qui s'oppose à *externe*, comme le dedans au dehors. Le latin *internus*, que le mot français reproduit, se rattache à *inter-*, qui signifie « dans l'espace intérieur à deux choses » et d'où vient *entre-*. *France Inter* sonne mieux que « France entre ».

À l'intérieur de quoi se trouvent les internes ? Mille significations étaient possibles : deux se sont imposées au début du XIXe siècle. Certains étudiants en médecine, les meilleurs, étant attachés à un hôpital, devaient y coucher : les premiers internes des hôpitaux sont ainsi nommés sous le Ier Empire et Napoléon adorait les dortoirs, les casernes, les internats. À cette époque, c'était un nom exclusivement masculin. Quinze ans plus tard, d'autres internes leur succèdent : ce sont les élèves logés et nourris dans leur établissement d'enseignement. Le dérivé *internat* a été créé pour l'école ; puis il s'est appliqué aux internes des hôpitaux.

Les internes sont essentiels pour la bonne marche de tout hôpital : ils et elles en font partie, de l'intérieur, comme l'indique leur nom. Il ne faudrait pas qu'ils s'y sentent enfermés, et comme internés. On notera au passage qu'*infirmier*, *infirmière* sont sans rapport avec *enfermer*, mais viennent du mot *in-firme*, *in-firmus*, « pas solide ».

Ne pas confondre les *internes*, futurs médecins sélectionnés par le terrible concours de l'internat des hôpitaux, avec les *internistes*, mot qui n'a qu'une trentaine d'années et qui correspond à l'idée de *médecine interne*. Celle-ci reprend les premiers emplois de l'adjectif, lorsque Ambroise Paré, vers 1560, parlait des *maladies internes*. La médecine interne, ainsi dénommée en anglais, concerne ce qui se passe à l'intérieur du corps, en général ; l'interniste s'oppose au chirurgien, et aux spécialistes, car il soigne l'ensemble de nos intérieurs. Entre l'intérieur de l'hôpital et celui du corps, personne ne fait la confusion. N'empêche que concurrencer la médecine générale par une médecine « interne » n'était pas très fin. Pour revenir à nos jeunes et brillants internes, leur condition, l'internat, est parfois mal vécue ; c'est peut-être par besoin d'air extérieur que les internes sont descendus dans la rue, ce qui ne signifie pas qu'ils veuillent devenir externes.

18 décembre 2001

Exception culturelle

Qu'on la célèbre sous le nom de *diversité* ou qu'on l'enterre verbalement, comme le fait Jean-Marie Messier, l'exception culturelle, se posant comme exception, s'oppose à une règle.

Le mot *exception* apparaît dans notre langue dans le vocabulaire du droit, où, comme on sait, règne soit la loi, soit la coutume, en tout cas une règle générale. Dans les applications concrètes à des faits particuliers, l'automatisme est impraticable. Il faut retirer certains cas particuliers de la norme générale, qui demeure toujours quelque peu abstraite. Retirer, c'est ce que dit *exceptio* en latin, car le mot vient de *exceptare*, qui remonte à *ex-* et *capere*, « prendre », verbe qui – entre parenthèses – a produit notre *chasser*. L'exception prélève, prend, « chasse » un certain nombre d'événements et de situations et les place hors de la généralité. C'est une variante de la différence, c'est la reconnaissance des cas exceptionnels, qui méritent d'être pris à part et dont l'ensemble crée la diversité. Les fortes personnalités, par exemple, sont toujours des exceptions, parce qu'elles débordent et parfois refusent la norme générale. *Faire exception*, c'est le rêve de chacun, surtout lorsqu'on subit désagréablement la règle générale.

À propos d'exception, une phrase proverbiale vient à l'esprit, c'est « l'exception confirme la règle ». On la répète, cette phrase, et son paradoxe ne dérange plus. Au départ, c'était pourtant une sorte de lapalissade, car l'adage juridique énonçait : « l'exception confirme la règle à l'égard des cas qui ne sont pas exceptés ». Autrement dit, la règle générale demeure applicable à la plupart des cas particuliers et ceux qui peuvent lui échapper doivent impérativement être désignés, spécifiés et extraits de l'ensemble. Donc, une fois les exceptions sorties, la loi globale est par là même renforcée et confirmée.

Refuser l'exception, ce serait, en somme, condamner la règle. *Excepter*, c'est réserver, mettre ou prendre à part, ce que dit aussi le latin *exemere*, d'où vient *exemple*, car l'exemple est au départ une exception qui peut servir de modèle. L'exception culturelle française, pour les amateurs d'un cinéma exceptionnel et en français, c'était un exemple. Si l'exemple devenait règle, il est vrai qu'il disparaîtrait en tant qu'exception.

La machine de l'Histoire et celle des cultures, qui sont par définition plurielles, avec ce tourniquet règle-exception, possède un moteur efficace, et personne n'a intérêt à le bloquer. Mais il est vrai qu'une exception peut en cacher une autre.

19 décembre 2001

Métissage (Hommage à Senghor)

La mort de Léopold Sédar Senghor, figure exceptionnelle du dialogue des cultures, incite à évoquer l'un de ses termes favoris, *métissage*. Mot auquel ce poète africain, exprimant avec force et subtilité sa culture par et dans la langue française, célébrait des valeurs universelles. Le terme *métis*, issu d'un dérivé tardif du latin *mixtus*, « mixte », n'exprimait au départ que le mélange. Ce sont les langues espagnole et surtout portugaise, après les grandes découvertes du XVIe siècle, qui ont donné au mot, notamment au Brésil, sa valeur moderne. *Mestiço*, c'était le nom qui s'appliquait aux personnes nées d'une Amérindienne et d'un Européen, ou le contraire. Quant au métissage, la notion s'est appliquée aux humains, mais aussi à tous les êtres vivants. L'idée de croisement, mais aussi d'enrichissement et de propagation de la vie, s'est finalement appliquée aux idées, aux sentiments, aux émotions provenant de cultures différentes, et cela en grande partie grâce à Léopold Sédar Senghor et à Aimé Césaire. Senghor mariait dans la création la tradition des griots africains, qui sont des poètes-conteurs, et celle de la langue française, qu'il maîtrisait mieux que quiconque. Car Senghor, dont la langue maternelle était le sérère, ce qui ne l'empêcha pas de promouvoir le wolof, langue majoritaire du Sénégal, devint un ténor des études classiques françaises. Il aimait conter comment, prisonnier en Allemagne en tant qu'officier français, il fut abordé par un officier allemand dédaigneux qui, le voyant lire des caractères qui n'étaient ni latins ni gothiques, lui dit avec condescendance : « C'est sans doute de l'arabe que vous lisez là, mon brave… » Senghor ajoutait avec un grand rire : « J'étais en train de relire Sophocle. » On avait peine, en le voyant, à se souvenir qu'il s'agissait d'un homme d'État, député français en 1945, secrétaire d'État en 1955, et surtout président de la République du Sénégal en 1960 et pendant vingt ans, avant de se retirer de la vie politique. Car c'est l'érudit passionné, le poète épique et lyrique, l'homme généreux et gai, le chantre de la *négritude*, mot d'un autre grand poète, Aimé Césaire, que l'on rencontrait. Son *Anthologie de la nouvelle poésie nègre et malgache de langue française* inspira à Sartre le texte lumineux de l'*Orphée noir*. Montrant que, par ses aptitudes à la fois logiques et rythmiques, le français pouvait assumer aussi les valeurs culturelles de l'Afrique, il enrichissait cette langue fille du latin par l'inspiration de son peuple. Son idée du métissage, c'était le croisement profond de deux ou plusieurs identités pour atteindre l'universel. Senghor le métisseur va nous manquer.

21 décembre 2001

2002

2, 3, 8 janvier : Autour de l'adoption de l'euro
11 janvier : Les effets du 11 septembre
31 janvier : Le forum de New York et celui de Porto Alegre
13 juin : Sommet de la FAO à Rome
27 juin : Crise de la Bourse

Le franc

Il va bien falloir dire adieu au franc, bonne vieille monnaie nationale depuis le 18 germinal an III (1795), et déjà monnaie française parmi bien d'autres, née sous le règne du roi Jean II, dit le Bon, au XIVe siècle. Histoire de mots, donc histoire tout court. Jean, qui avait été fait prisonnier par les Anglais à la bataille de Poitiers, et son fils, régent et dauphin, le futur Charles V, acceptèrent de payer une rançon énorme, en écus. Certains pensent que Charles voulut évoquer plus tard la liberté chèrement acquise de son père en choisissant le mot *franc*, qui signifiait « libre », par une sorte de jeu de mots avec la « livre ». D'autres, moins romantiques, constatent que la nouvelle monnaie célébrait le *Rex Francorum*, le roi des Français, confondus en latin avec les Francs. Ce mot, et avec lui le nom de la France, venait dans la langue appelée *francique* du mot germanique *frank*, « homme libre ».

La monnaie royale, en butte à des unités concurrentes, ne fut plus frappée à partir du règne de Louis XIII, mais on a continué à compter en francs. Il y avait même des *francs à pied* et des *francs à cheval*, selon l'image du roi qui était figurée côté pile. Ceux qui, aujourd'hui, demeurent très à cheval sur le franc et vitupèrent l'euro, qui n'est ni à vélo ni en voiture, ne vont pas jusqu'à déplorer la disparition de ces symboles monarchiques. Donc, avant la Convention révolutionnaire, le franc n'était qu'une simple monnaie de compte, un substitut à *livre*. Mais le mot *franc* avait pris dans le public, avec des règles d'emploi assez biscornues. Il fallait dire, au XVIIe siècle, non pas un et deux francs, mais vingt et quarante sous, non pas trois francs, mais un écu, non pas cinq francs, mais cent sous. Pire encore, si on disait quatre, six, etc., francs, quand le compte était tout rond, c'est *livre* qu'il fallait employer dès qu'il y avait de la monnaie derrière. Richelet, en 1680, énonce : « Vous direz, j'ai acheté cela quatre livres cinq sous, et non pas quatre francs cinq sous. » Et comme il n'y avait plus aucune pièce en francs, mais en sous, en écus, en livres, en louis…, jugez de la simplicité du système…

Malgré les vicissitudes du franc légal, après 1803, et son changement de valeur en 1959, la suite fut moins alambiquée. Mais rien n'est si simple que l'euro. En France et en Belgique, les amoureux du *franc* pourront se consoler grâce au franc CFA et à la monnaie helvétique encore solides au poste.

Quant au langage, de la *franchise* à la langue *française* et à la *francophonie*, la famille issue du mot germanique *frank* se porte assez bien. Mais comment va-t-on dire « t'as pas dix balles » ? Attendons aussi pour savoir si le nouveau venu engendrera des manières de parler aussi positives que le mot *franc* : franc comme l'or, par exemple, ou franc du collier. Euro du collier, ça, je ne le sens pas…

2 janvier 2002

Basculer

Bousculer les idées reçues, ou les faire *basculer*, telle pourrait être la question. Parmi les mots entendus très souvent à l'occasion du passage à l'euro, nous avons pu remarquer *basculer* et son dérivé *basculement*. Les systèmes automatiques et informatiques ont été aimablement priés de basculer à l'euro, ce qu'ils ont d'ailleurs fait de bonne grâce. Ce fut, le mot l'affirme, renversant, car *basculer* est composé de l'adverbe *bas* et, sauf le respect dû aux oreilles sensibles, d'un nom fondamental et très français, après avoir été latin, et qui s'écrit *c*, *u*, *l*. Comme *reculer* et *bousculer*, *basculer*, qui a voulu dire « taper le cul par terre » et « bâtonner par-derrière », est devenu un mot honorable, exprimant le renversement, de même que *bascule* s'appliquait au système qui abaissait et relevait un pont-levis, puis à une balançoire et finalement à une balance.

Basculer évoquait surtout le passage d'un point d'équilibre à un autre, une dégringolade sans remontée. Et admirons la subtilité de notre langue : c'est bien ce qu'exprimerait *basculer dans l'euro*, expression péjorative qui comblera les farouches partisans du franc national et souverain, car elle suggère que les Européens viennent de choir d'une situation sublime, où ils pouvaient s'identifier à une monnaie patriotique et, qui plus est, d'en choir sur le derrière, ce qui est humiliant.

Je ne viens pas de citer Philippe de Villiers, car on n'a pas dit basculer *dans* l'euro, mais basculer *à* l'euro, ce qui, pour le coup, exprime un mouvement volontaire, un déplacement rapide, efficace et irréversible. Les distributeurs de monnaie, par dizaines de milliers, ont donc basculé *à* l'euro ; ce fut magique. Puis, ce fut le tour des caissières et des caissiers, qui utilisent aussi des automatismes, mais doivent les manipuler, ce qui implique la main. Par quoi *basculer* se rapproche de *balancer* et de *jeter*. Quant aux systèmes européens de financement des produits culturels, dont il vient d'être question, en réaction à Jean-Marie Messier[1], ils vont aussi basculer, tout en refusant d'en rester sur le cul.

Alors que la langue anglaise, en cela plus « correcte » et plus simple, emploie *to switch*, le français *basculer* semble jouer sur les significations et nous disposer à l'ironie. Ce qui pourrait être politiquement incorrect, et quelque peu bousculant.

3 janvier 2002

1. Ce dernier s'opposait à l'« exception culturelle » française, proposant notamment de laisser le cinéma national en proie au marché mondial, orchestré par les États-Unis d'Amérique.

Europe

Ce nom cache un paradoxe : l'histoire ou plutôt le mythe d'Europe commence en Phénicie, région d'Asie occidentale qui correspondait aux actuels Liban, Syrie, Israël et Palestine. Europe était la fille du roi de Phénicie ; elle avait de grands yeux, disait ce nom, du grec *eurus*, « large », et *ops*, « œil », d'où vient *optique*. Ces grands yeux étaient sans doute beaux, car l'élément *eu-* signifie « bon », comme dans *euphorique*. Euphorique donc, le maître des dieux, Zeus (Jupiter, en latin) tomba amoureux de la jeune pucelle Europe. Expéditif, il prit la forme d'un taureau blanc, et enleva Europe qu'il emmena en Crète. Cette île n'était pas tellement éloignée de sa patrie asiatique (au fait, *Asie* était alors une ville de l'actuelle Turquie), mais, pour les Grecs, Européens originels, de leur côté.

Les mythes, fruits d'une imagination symbolique collective, cachent des vérités. Plutôt, ils les interprètent. L'Europe, par le désir du roi des dieux, est donc le résultat d'un transport, à la fois amoureux et géographique. En plein XXe siècle, Paul Valéry disait d'ailleurs que cette partie du monde où nous vivons n'est jamais qu'un petit cap de l'Asie.

Mais l'Europe, à partir du IIe millénaire avant l'ère chrétienne, en Crète, puis du Ier millénaire, en Grèce continentale, à Mycènes, c'est bien, à côté de l'Asie anatolienne et de l'Afrique égyptienne, le berceau méditerranéen de nos civilisations.

L'épopée de l'Europe est jalonnée de conquêtes matérielles et culturelles, mais aussi de luttes terribles. Mais voilà qu'après le pire conflit, couronnant sinistrement des siècles de violences, les larges yeux séduisants de la nymphe Europe réapparaissent, avec l'idée d'union pour une grande partie de ce continent. Dernier acte de cette mythologie moderne, la nouvelle monnaie commune, l'*euro*, coupe brutale d'un composé qui est en fait formé de *eur-* et *-ope*. Mais avouons que l'*eur*, c'était un peu court ; en français, cela aurait fait penser à l'unité de temps. Va donc pour le jeune euro, auquel on souhaite de grandir et de prospérer, tout en gardant le charme de sa mère. Cependant, à la différence de Zeus, le demi-dieu Berlusconi semble peu sensible à ce charme, au moment même où le héros Blair, élégamment herculéen, sur le versant britannique de l'Olympe, manifeste certains attraits pour les beaux yeux d'Euro.

La mythologie grecque nous en avertit : le sort des hommes, dont plus de la moitié sont des femmes, dépend des relations entre ces dieux modernes, États-nations et puissances économiques. Les dieux de l'Olympe avaient trop souvent l'exécrable habitude de se quereller, et de faire payer leurs querelles aux mortels. On aimerait que cela ait changé, mais là, ce n'est plus de la mythologie, c'est du rêve.

8 janvier 2002

Échographie

Les progrès évidents et célébrés de la médecine entraînent des effets sociaux imprévisibles. Ainsi, on a pu rêver que les moyens récents d'investigation, par exemple l'échographie, allaient résoudre tous les problèmes de diagnostic. Comme l'une des applications les plus remarquables de l'échographie produit des images du fœtus dans l'utérus, on a pensé que toute anomalie prénatale allait être décelée. D'où l'étrangeté juridique qui a consisté à considérer une naissance anormale non décelée comme un préjudice entraînant compensation, en cas de handicap. Sujet douloureux, qui fit passer à l'état de problème de société une intuition philosophique exprimée avec un terrible talent d'ironiste-moraliste par Emil Michel Cioran dans un titre agressif : *De l'inconvénient d'être né.*

L'échographie est une technique récente, apparue au début des années 1970 et qui utilise des ondes de longueur supérieure à celle des ondes sonores, autrement dit des ultrasons. Lorsque ces ondes rencontrent un obstacle, elles sont réfléchies et c'est leur réflexion par les structures organiques, par exemple les parois de l'utérus, qui dessine une sorte, une espèce, un genre, une manière d'image. Pour les sons, ce phénomène de renvoi s'appelle l'*écho*, mot venu du grec et qui évoquait une nymphe trop bavarde, condamnée par la déesse Héra à ne plus jamais parler la première. Amoureuse du beau Narcisse, Écho ne peut s'exprimer, est repoussée, meurt de chagrin et il ne reste d'elle que sa voix, qui répète les dernières syllabes prononcées… Triste affaire, inspirée par l'étonnement et la crainte produits par les échos naturels, ces voix mystérieuses qui nous renvoient notre parole. L'échographie, quant à elle, est une « écriture d'écho », une productrice d'images par réflexion des ondes.

Il ne s'agit pas de la confondre avec une photographie, qui est une écriture par la lumière, ni avec la radio-graphie, car l'image échographique, soumise à tous les aléas des reflets, masquages, brouillages, est fort difficile à interpréter. La qualité du matériel, le temps de l'examen, les circonstances de la formation de l'image, les problèmes de déchiffrage sont des facteurs d'incertitude, sous-estimés. La voix de la nymphe Écho était parfois incertaine, inaudible, interrompue, trop faible. Ne pas l'entendre et la comprendre ne signifiait pas qu'elle n'eût rien dit. De même, ne rien voir d'anormal sur une échographie ne signifie pas forcément que tout soit normal.

On peut donc se faire l'écho des inquiétudes des échographistes, à condition de rappeler que ce procédé sauve des milliers de malades et évite des drames. Revanche tardive pour la pauvre nymphe, devenue malgré elle patronne d'une imagerie médicale.

10 janvier 2002

Stable

Pour peu que l'on se détache des problèmes quotidiens et proches, des faits divers horribles et des intérêts matériels, la préoccupation mondiale, quatre mois après le grand choc terroriste contre les États-Unis, c'est de parvenir à une stabilisation. Équilibre *instable*, *instabilité*, cela caractérise toute une partie du monde. La tendance aux représailles réciproques qui s'exprime au Proche-Orient, outre ses effets humains dramatiques, continue à *déstabiliser* la région. Par ailleurs, l'Afghanistan libéré demeure fragile ; mais ce n'est pas la seule structure politique vacillante. On accuse aussi l'Iran de déstabiliser la zone ; les rapports entre le Pakistan et l'Inde ne garantissent guère un avenir stable et paisible.

Certes, dans l'Histoire, l'instabilité est la règle, et les conflits en sont l'expression évidente. Et, dans les situations politiques nationales, les équilibres sont plus souvent instables, malgré des apparences d'équilibre. Souvent, l'instabilité générale peut aboutir à des agressions et à des catastrophes ; les États-Unis l'ont éprouvé dramatiquement mais il ne faut pas oublier l'Algérie en proie aux massacres, et beaucoup d'autres. Cette situation peut provoquer une réaction qui rapproche les opposants politiques.

La stabilisation des forces qui s'opposent en politique intérieure est trop souvent l'effet des convulsions extérieures.

L'équilibre n'est jamais général sur cette planète, où l'occupant humain demeure turbulent. La stabilité demeure une intention, un rêve.

On dirait que le mot *stable*, qui vient du latin *stabilis*, est surtout actif sous diverses formes négatives, *instabilité*, *déstabiliser*, et aux dérivés qui expriment le désir de surmonter l'instabilité, du genre *stabiliser*, *stabilisation*.

Le mot latin vient du verbe *stare*, qui signifiait « se tenir droit » et donc « ne pas tomber, ni incliner, ni bouger ». On voit bien que cette situation, normale et réelle quand il s'agit d'architecture, symbolique lorsqu'on pense aux êtres humains, qui peuvent se tenir debout, à la différence des autres mammifères, devient mythique, idéale, théorique, quand il s'agit de la situation des sociétés humaines dans l'Histoire.

La chute des tours jumelles du centre mondial de commerce de New York est, outre la catastrophe humaine, un terrible symbole : ce qui est le plus vertical, le plus haut, le plus fier, le plus stable, peut toujours s'effondrer.

11 janvier 2002

Licenciement

Ainsi, selon le Conseil constitutionnel, les entreprises ont licence de licencier. Licence, c'est liberté. On avait entendu dire que la liberté devait s'arrêter là où commençait la mise en cause de la liberté d'autrui, par exemple celle de gagner sa vie. Mais le raisonnement était, semble-t-il, naïf. Ringard, dirait le libéralissime Alain Madelin.

La licence, *licentia*, c'est en latin le pouvoir de faire quelque chose librement, par exemple d'enseigner, mais aussi de ne rien faire, d'où le sens de « loisir », mot de même origine. Le dérivé *licentiare*, au Moyen Âge, aurait pu vouloir dire « libérer » ou « mettre en vacances », mais il faut croire que l'économie se portait déjà assez mal, puisque *licencier* s'est spécialisé pour congédier, renvoyer, mettre à pied, on dira plus tard vider et virer. Au XVIe siècle, cela devait aller encore plus mal pour l'emploi, car on éprouve le besoin de créer le dérivé *licenciement*.

Quant au *licenciement économique*, c'est une idée moderne, avec une désignation ambiguë : la raison économique étant la seule pour l'entreprise, l'embauche comme le licenciement sont toujours économiques. Embauche et licenciement, ne disons pas débauche et mesures licencieuses, qui concernent un autre aspect de la liberté d'agir. Mais *licenciement économique* peut aussi s'interpréter comme « qui fait faire des économies », à l'entreprise, cela va sans dire.

Donc, prétention inouïe, démodée, liberticide et idéologique, une loi voulait limiter ces économiques dégraissages à une seule circonstance, la mise en danger de l'entreprise. Plan social pour la survie d'une firme, qui menacerait l'activité économique et donc l'emploi. Mais pas de licenciement lorsqu'il ne s'agit que de maintenir ou d'augmenter la compétitivité, la marge bénéficiaire, la rémunération libre du capital libre, et le cours libre des actions, qui n'ont que trop tendance à se tasser sinon à s'effondrer, très libéralement d'ailleurs.

Cette loi portait atteinte, ont pensé les conseillers constitutionnels, à la liberté d'entreprise. Mais que dit la Constitution de la liberté de gagner sa croûte ? Elle dit : droit au travail. Donc, le licenciement économique serait constitutionnel quand il correspond à une simple mesure de gestion. Côté drame humain pour les salariés, c'est une autre affaire.

Les moralistes disaient : il ne faut pas que la liberté dégénère en licence. Les économistes affirment : la liberté d'entreprendre suppose une liberté de licencier. L'idée de lutte des classes est, nous dit-on, complètement démodée ; celle de guerre des idées et des discours, apparemment, ne l'est pas : mais ça, c'est de la politique. Du côté des réalités et de l'action, c'est nettement plus mou : pas de quoi avaler son bretzel libéral[1].

14 janvier 2002

Justice

L'idée de « justice » est probablement universelle ; malheureusement, la pratique de l'injustice

1. On venait d'apprendre que George W. Bush, président d'une démocratie, mais membre d'un parti républicain plus libéral que démocrate, s'était étranglé avec ce gâteau sec et salé.

l'est aussi. La difficulté, avec *justice*, c'est que le mot désigne à la fois un principe et une institution très concrète. Différence notable avec d'autres principes fondamentaux, telle la liberté.

Justice vient de la pensée et de la langue latines, où une famille impressionnante de vocables dérive du monosyllabe *jus*, qu'on traduit imparfaitement par « le droit ». Cette série de mots, qui viennent probablement de l'Orient – on croit à une origine indo-iranienne – évoque à la fois l'exactitude logique (d'où *justesse*) et la rectitude morale. La justice et la justesse ont quelque chose à voir avec l'éthique, et ces idées sont fondées, à l'origine, par la religion. Le premier mot français de cette série n'est pas *justice*, ni *juge*, mais *jurer*. Or, *jurer*, c'est prononcer la formule rituelle qui engage et doit forcer l'être humain à se conformer à un principe. Quant à *juge* et *juger*, ils représentent le latin *judicare*, où il y a *dicere*, « dire ». Outre le principe moral, *juge* et *judiciaire* contiennent l'idée de « parole ». Ainsi, la justice est chargée de dire, c'est-à-dire d'incarner et de rendre effectif le principe moral d'équité, qui rend égal.

C'est pourquoi l'idée de « justice à deux vitesses » – peut-être beaucoup plus que deux – est scandaleuse. Au passage, j'ai failli avaler mon bretzel – pardon, mon croissant[1] – de travers en lisant dans *Le Figaro* qu'on avait « l'impression d'une

1. Le bretzel fait allusion à G. W. Bush – voir la chronique précédente – et le croissant à ceux que, selon l'excellent Guy Carlier, je dévorais chaque matin au studio.

justice sévère pour les puissants, clémente pour les faibles… ». Ça, c'est un scoop… ; les voleurs de poules dont parlait le procureur Éric de Montgolfier vont se réjouir. La *justice*, depuis le Moyen Âge, n'est plus seulement une abstraction, un principe moral, un idéal, comme la liberté, l'égalité ou la fraternité, mais un système social, une organisation, soumise, comme toute institution humaine, comme la police, avec laquelle la justice collabore, à diverses dérives.

La justice ne peut compter sur l'opération du Saint-Esprit ; elle a besoin de moyens, et d'une certaine force pour passer du principe à la réalité sociale. Admirable remarque de Joseph Joubert, moraliste trop oublié :

« La justice sans force, et la force sans justice : malheur affreux ! »

Il parlait sans doute des principes, mais c'est encore plus vrai de l'organisation judiciaire, qui a besoin de moyens adaptés, *ajustés* à ses missions. Avec le juge Halphen, la justice française demande justice ; à entendre certains politiques, elle aura du mal à l'obtenir.

15 janvier 2002

En colère

Certains magistrats le sont, et des policiers, des viticulteurs, des éleveurs, des traminots… Ils sont quoi ? En colère. Dans notre français actuel, les manifestations de mécontentement professionnel, grèves, manifs, agressions variées contre l'autorité, interruptions des transports, sont le fait de gens *en colère.* Avec l'idée de mécontentement agressif qui saisit une personne ou celle de réaction collective d'exaspération devant une situation difficile, le mot *colère* est sorti de la physiologie. Car le vocable grec d'où il sort, *khølera*, est un terme de médecine qui s'appliquait à une série de maladies que l'on croyait causées par l'excès de la bile, qui s'appelait *kholê* : le choléra, bien sûr, en faisait partie. La bile noire, en grec, c'est *mélan-colie.* Ainsi, à force de se biler, on se met en rogne ; la « mauvaise humeur », c'est exactement la bile noire. La médecine des humeurs n'a plus cours, mais la politique d'humeur prospère et les réactions de mauvaise humeur se multiplient.

Non seulement les difficultés économiques et sociales sont de plus en plus vivement ressenties, mais ceux qui les subissent sont de plus en plus furieux. Entre la déprime, le désespoir et la violence, il y a souvent la colère. Le vocabulaire illustre l'importance de cette réaction : on disait autrefois *courroux*, *fureur* ou *rage*, sans parler de l'*ire*, qui a servi à former *irascible. Coléreux*, *colérique*, *irascible*, c'est une disposition, un tempérament, une façon d'être ; on disait joliment (on le fait encore « dans les régions ») : « ne sois pas si colère ! ». Se mettre en colère, cela peut arriver à des gens calmes d'habitude. La colère a des modulations : avec *en colère*, on ne pense guère aux colères froides, calmes, raisonnées, mais aux emportements. Se mettre en rogne, en pétard (sans fumer), être furax, c'est aussi exploser, être « hors de soi ». Quand on est hors de soi, on ne sait plus où on est et, comme les plombs qui sont des fusibles, lorsqu'il y a surtension, ont tendance à péter, on n'y voit plus clair. On est dans le noir, mais curieusement, la colère noire fait voir rouge. Voyant cette couleur excitante, quand la colère passe à l'action, ça peut faire mal. Décolérer, rafraîchir les humeurs, se calmer, ce serait le meilleur moyen pour que le pays se fasse moins de bile.

17 janvier 2002

Censure

Le Conseil constitutionnel est chargé d'examiner les projets de loi et de juger de leur conformité à la Constitution. Quand il rejette un article ou un élément du projet, on parle de *censure*. Ce faisant, on risque de suggérer autre chose qu'un constat objectif de non-conformité. C'est que *censure*, qui vient du droit romain, est rapidement devenu synonyme de critique, condamnation et blâme, et, en politique, de vote défavorable à un gouvernement. En outre, *censure* et *censurer* s'appliquent à une détestable pratique, celle qui consiste à interdire la circulation des opinions qui déplaisent à un pouvoir. Notre Victor Hugo national écrivait en 1830 : « La censure est mon ennemie littéraire. La censure est mon ennemie politique. La censure est de droit improbe, malhonnête et déloyale. J'accuse la censure. » Cette censure qu'adorent les dictatures, et que pratiquent sournoisement certaines « démocraties », venait alors de la religion, où il s'agissait de condamner ce qui était contraire au dogme.

La Constitution n'est pas un dogme, mais un texte fondateur de la légitimité. Toute loi, tout article de loi doit s'y conformer ; sinon, il y a rejet, ce qui ne fait qu'appliquer un principe. Mais le principe constitutionnel étant supposé connu du législateur, cette censure est aussi une critique sévère à son égard. D'où, qu'on le veuille ou non, une interprétation politique et un procès d'intention. La Corse, une région, donc, ne pourra pas adapter la loi nationale : c'est cela qu'affirme le Conseil, et rien d'autre. Cela suffit pour créer une ambiguïté : une Constitution, tout comme un dogme, n'est pas toujours claire : pour déclarer qu'une loi s'y oppose, il faut non seulement interpréter le projet de loi, mais interpréter la Constitution elle-même.

Censure, le mot, vient du nom du magistrat romain qui, étant chargé de répartir l'impôt entre les citoyens, le *census*, pouvait et même devait apprécier leur comportement civique et moral. Appréciateur, le censeur a rapidement été considéré comme une sorte de juge, à la fois contrôleur fiscal et accusateur public. Un peu dangereux, comme institution... Au passage, ces attributions d'appréciateur expliquent la signification de l'adjectif *censé*, avec un c, qui signifie « supposé, réputé ». Donc, la *censure* constitutionnelle est *censée* exprimer la vérité de la Constitution, ce qui suggère que cette vérité n'est que supposée. Et revient l'idée d'interprétation, qui rend douteuse toute censure. Reste à faire confiance à la compétence des interprètes, qui sont *censés*, eux, être des « sages », ou alors à se résoudre à modifier la Constitution, qui n'est ni intangible ni sacrée, mais qui se doit d'être *sensée*, avec un *s*. De la censure au bon sens, en quelque sorte.

18 janvier 2002

Braquage

Dans le répertoire des mots français qui inquiètent, parce qu'ils illustrent l'insécurité, figurent le verbe *braquer* et ses dérivés. Braquages de supermarchés, de bijouteries, de banques ont succédé aux *hold-up* venus des États-Unis, et qui suggéraient le fait d'arrêter, de retenir (*to hold up*) la diligence pour détrousser ses passagers.

Braquage est plus français, mais plus obscur, car le verbe *braquer*, qui semble venir du latin *brachium*, « le bras », a suivi une trajectoire inconnue ; en outre, on ignore ses rapports avec le mot germanique qui a donné le nom d'un chien de chasse, le *braque*, d'où vient *braconnier*. *Braque* est aujourd'hui surtout connu comme synonyme de *cinglé*, *dingue*. Et il est vrai que les tontons braqueurs, surtout quand ils sont flingueurs, nous paraissent franchement braques, ce qui les rend plus dangereux.

Mais *braquer*, avec les années « folles », où apparemment nous sommes encore, signifiait surtout « faire tourner », d'abord un chariot, plus tard une automobile. Pourtant, par une image compréhensible, faire tourner son arme vers un objectif, la pointer, viser, s'est dit *braquer*. Plus pacifiquement, on braque un télescope sur une étoile, et on peut braquer quelqu'un contre soi en le traitant mal.

L'idée de braquer une arme l'a emporté sur les autres emplois, au point qu'un peu avant 1930 l'argot s'en est emparé pour exprimer l'idée d'« attaquer avec une arme ». *Braquage* a suivi le mouvement et on a eu en prime le mot *braqueur*, pour désigner une variété armée de casseurs, détrousseurs, preneurs d'otages.

Le braquage d'une arme est fait pour intimider ; le braquage tout court est fait pour prendre, pour voler. Mais l'arme d'intimidation peut tuer. C'est pourquoi les casseurs devenus braqueurs sont des flingueurs en puissance.

L'évolution de ces mots est un indice de l'aggravation de la violence : *braquer* égale tourner, diriger, puis viser, puis menacer, puis voler, enfin, tuer. Si les braquages de commerces de luxe, dans les beaux quartiers, illustrent une montée de violence, ils désignent aussi une inégalité, une injustice sociale, sur lesquelles il n'est pas mauvais de braquer son regard.

22 janvier 2002

Forum

Deux réunions internationales se tiennent sur le continent américain, deux *forums*[1], mot lui aussi très international, tout au moins dans le monde occidental. Un seul mot ; deux réalités opposées, pour ces assemblées censées discuter la politique économique de la planète. New York, au lieu de Davos ; Porto Alegre, au sud du Brésil et bien près d'un pays ravagé par l'économie que pilote lamentablement le Fonds monétaire international, l'Argentine. Il y a du symbole dans l'air, pour les deux forums apparentés. *Forum*, au fait, que disait ce mot latin, avant d'être mondialisé ?

Le *forum* romain, c'était l'enclos autour d'une maison, l'espace extérieur ; le mot vient d'une très ancienne racine indo-européenne désignant la porte, l'ouverture. Puis, il a désigné le marché, la place publique, lieu de discussions et de débats, où se situait notamment le tribunal. Quand on visite les impressionnantes ruines du forum, à Rome, la foule touristique, docile et admirative, évoque difficilement la vie active, politique, commerciale, d'une communauté, l'animation du marché, la discussion et les débats du tribunal, pour tenter de concilier le commerce, la production, la consommation avec la morale, que

1. Pluriel latin *fora*, et non pas, comme un lapsus calamiteux et latinivore me l'avait fait prononcer, *fori* (qui existe, mais est le pluriel de *forus*). Voir la chronique du 11 février : *Revendication*, où je m'en excusais.

représente le droit. Cet aspect du forum est si important qu'on a employé en français le mot *for* pour désigner le tribunal de la conscience, appelé *for intérieur*. L'expression n'est plus guère comprise et on peut s'amuser de sa déformation ironique : « je me suis dit, dans ma Ford intérieure » – à propos, Ford, c'est tout de même un des premiers symboles de la mondialisation à l'américaine.

Davos, c'était chic, neigeux et pas loin des banques suisses ; c'était en Europe. New York, le Waldorf mythique, c'est luxueux, plus facile à surveiller, et pas loin de Wall Street, la « rue du mur » – et l'idée de « mur » est opposée à celle de « forum », place ouverte, porte ouverte, libre discussion. Porto Alegre, qui affiche la gaieté, a déjà sa tradition antimondialiste ; cette ville sympathique participe en outre de la culture des gauchos. On reste dans le symbole, avec un côté Tintin, quand le père Noël Mamère y poursuit les malheureux poulets du père Dodu. Ainsi, le forum, discussion très sérieuse, peut conduire à un peu de farce. Ce sera sans doute moins gai à New York, capitale incontestée d'une mondialisation libérale contestée. L'ennui avec ces deux forums, c'est qu'ils réunissent des gens assez d'accord entre eux. La discussion ferait peut-être jaillir plus de lumière, si un forum réunissait des opinions opposées, et non pas d'un côté les partisans, de l'autre les adversaires, d'une mondialisation peu allègre.

31 janvier 2002

Consultation

Les consultations médicales viennent d'augmenter d'un euro.

Consultation est un mot général qui s'est spécialisé. En politique, avec les consultations populaires, signes de démocratie. En médecine où, depuis des siècles, *consulter* exprime l'idée de délibérer à plusieurs avant de décider et celle d'aller demander un diagnostic et des soins. Le latin *consultere* désignait les deux actions, « délibérer » et « prendre conseil ». Cela s'applique à la politique, et en effet *conseil* et *consul* – plus autoritaire – sont apparentés à *consulter*. *Conseil* l'est aussi à la vie courante, chaque fois qu'on recherche une information. On consultait et on consulte encore un ami, un avocat, un manuel, un traité, son carnet d'adresses, une base de données, un site sur Internet. Information, documentation, la consultation pose des questions, et va à la pêche aux réponses. Or, s'agissant de médecine, *consulter* et *consultation* signifiaient autre chose, une discussion entre spécialistes, une délibération. Les médecins, disait-on, consultaient entre eux, alors que dans la langue courante, le malade – ou le patient, qui est aussi un client – va consulter le toubib, qui, de son côté, « donne » des consultations – on dit donner, et non pas vendre, par une délicate pudeur.

Cette consultation n'est pas seulement la requête d'un avis, comme lorsqu'on consulte l'opinion par une de ces enquêtes ou sondages qui déclenchent de plus en plus de scepticisme. Non, ce que la consultation politique n'est pas encore, ce qu'elle est en médecine, cela comporte un examen, où le docteur observe, écoute, interprète, analyse et fait analyser, induit, déduit, applique ses connaissances à votre cas personnel, unique et compliqué et trouve des moyens d'arranger la situation. Tout ça, pour dix-huit euros cinquante. À la question fatidique : « C'est normal, docteur ? », il est rare que le praticien ou la praticienne puisse répondre : « Oui », à la manière de ce psychanalyste qui, au patient qui se plaignait d'un sentiment d'infériorité, répondait : « Ne vous en faites pas, vous n'avez aucun complexe ; vous *êtes* inférieur. » On attend autre chose de la consultation, qu'elle soit médicale ou citoyenne.

1er février 2002

Intégrisme

Intégrisme, fondamentalisme, islamisme : l'emploi incertain de ces termes, avec une arrière-pensée ou une « avant-pensée » de terrorisme, n'aide guère à comprendre une situation très compliquée. D'abord et avant tout, il faut rappeler que l'islam, une des plus importantes religions monothéistes, porte un nom arabe qui signifie « soumission ». Le croyant islamique se veut et se dit « soumis à Dieu ». *Islamiste*, en français, apparaît vers 1800 ; il ne signifie alors que « musulman », mais la finale en *-iste*, qui correspond à un système, souvent idéologique, l'a entraîné vers une forme d'extrémisme.

Une de ces formes, dans une religion, c'est de revendiquer une croyance et une observance absolues, étroites, fondées sur une interprétation littérale de la tradition. Et c'est bien ce qui est arrivé lorsqu'un parti catholique espagnol, qui militait pour la subordination de l'État à l'Église, s'est appelé *integrista*, à la fin du XIXe siècle. Le mot français *intégriste* apparaît en 1913 dans ce contexte, avant de s'appliquer à un conservatisme qui s'appuie sur une interprétation stricte, étroite, bornée d'une croyance. Religieux et politiques, les mots *intégrisme* et *intégriste* n'ont longtemps eu aucun rapport avec l'islam. Mais il faut admettre que plusieurs tendances actives de cette religion, comme le wahhabisme d'Arabie saoudite, pouvaient à bon escient être qualifiées d'« intégristes », ou encore de « fondamentalistes », par retour aux bases, considérées comme intouchables, de la croyance. On aurait pu aussi parler de *purisme*, d'*absolutisme*, de *totalitarisme*, si ces mots n'étaient déjà occupés. Toujours est-il qu'*intégrisme* s'est appliqué aux tendances dures de l'islam dans les années 1970, jusqu'à faire oublier que toute religion, à commencer par le catholicisme de Mgr Lefebvre, peut présenter ce caractère.

L'intégrisme est un aspect possible, une dérive, une maladie de toute croyance, religieuse ou non. Dans l'Histoire, les trois monothéismes – juif, chrétien, musulman – ont été plus souvent saisis par cet extrémisme immobiliste, que, par exemple, le bouddhisme. Reste que l'intégrisme ou plutôt les intégrismes de l'islam – il y en a plusieurs – peuvent être qualifiés, comme le fait Abdelwahab Meddeb dans un texte remarquable qui porte sur la généalogie de ce mouvement, de la « maladie de l'islam ». Quels que soient ses dangers, l'intégrisme n'est pas assimilable au terrorisme, même si l'intégrisme islamiste a pu financer et organiser le néoterrorisme actuel. Un peu de précision dans les termes permet d'éviter cette autre maladie du jugement qui a nom « amalgame » et « simplification ». Ce n'est sûrement pas en parlant d'un « axe du mal » qu'on rendra la situation compréhensible.

5 février 2002

L'Empire « américain »

On cherche ses mots pour exprimer la disproportion entre le pouvoir, la richesse, la puissance des États-Unis et ceux des autres pays du monde. On parle, après Hubert Védrine, d'*hyperpuissance*, *super-* ne suffisant plus. Mais il existe un mot ancien qui exprime le pouvoir suprême, un mot qui évoque une hyperpuissance du passé ; c'est *empire*. On a prophétisé naguère le déclin de l'Empire américain ; c'était prématuré.

Le premier emploi du mot, au Moyen Âge, c'est l'Empire romain, l'*imperium*, mot qui procède du verbe *imperare*, composé de *parare*, « préparer, fournir ». Celui qui prépare l'avenir du monde détient le pouvoir suprême : normal.

Cependant, pas d'empereur à la barbe fleurie pour les États-Unis, que des événements récents ont de toute façon rendus allergiques aux barbus. Un empire sans empereur, c'est une nouveauté historique du XIXe siècle : l'Empire britannique était sous l'autorité d'un souverain, roi ou reine. Mais l'Empire français, qui était colonial, n'en était pas moins républicain, ce qui, pour les Romains de l'Antiquité, eût été une extravagante contradiction, puisque l'empire avait détruit la république. En fait, après Napoléon Ier et son pâle écho, « Napoléon le petit » (selon Victor Hugo), *empire* et *impérial* avaient pris en France une valeur constitutionnelle et politique.

Mais l'Histoire ne se répète pas. Après une série de superpuissances dirigées par un personnage impérieux et impérial – un empereur, naturellement, et un sultan, dans le cas de l'Empire ottoman, puis un dictateur, dans cet empire nommé URSS –, on peut appliquer le mot latin aux puissances qui ont les moyens de la domination. Elles furent toujours peu nombreuses ; aujourd'hui, il n'en reste qu'une, encore que certain « Empire du Milieu », la Chine, ne demande qu'à resurgir. L'empire débouche sur l'*impérialisme*, mot dont le sens moderne est pris à la langue anglaise, dans le contexte colonial, et, selon Lénine, dans l'aboutissement du capitalisme.

Les États-Unis d'Amérique, étant une république, n'ont pas d'empereur ; n'ayant pas de colonies, ils n'aiment pas les impérialismes européens. Pourtant, les mots eux-mêmes trahissent leur volonté de puissance, avec la complicité du langage : en effet, on dit *american*, et chez nous *américain*, quand il faudrait *étatsunien*. C'est que les deux Amériques, et pas seulement dans les mots, sont sous la dépendance de la puissance étatsunienne, indûment qualifiée d'*américaine*. Cette puissance va beaucoup plus loin : au nom du bien, j'ai envie de dire au nom du Père, un État établit et gère sa domination sur le reste du monde. Empire à deux têtes, comme l'aigle bicéphale de l'Empire austro-hongrois : une tête politique et militaire à Washington, une, économique et financière, à Wall Street.

Le destin des empires est d'empirer – jeu de mots exécrable, mais révélateur – ; soit leur pouvoir s'exacerbe et se durcit, soit ils se délitent et ils éclatent. Mais avant, ils obsèdent la planète. Ils tentent d'« unilatéraliser » les relations[1]. L'unilatérale, c'est bon pour le saumon, pas pour le monde.

6 février 2002

Revendication

L'une des tendances remarquées de la vie sociale française est que plusieurs catégories professionnelles expriment leurs revendications :

1. Stéphane Paoli venait de proposer ce verbe, pour qualifier la politique de Washington.

récemment, les policiers, les gendarmes, les médecins, avec tous les soignants, ont rejoint dans cette voie protestataire les cheminots et traminots, coutumiers de la chose.

Si le public est sensible à certains moyens de revendication, par exemple la grève, il approuve qu'on revendique des améliorations dans sa vie quotidienne. Le mot était clair en latin, où *rei vindicatio* signifiait « réclamation de la chose », devant un tribunal, s'entend. À propos du latin, je dois aux auditrices et aux auditeurs qui pratiquent la langue de Virgile des excuses pour avoir donné un faux pluriel pour le mot *forum*, qui est *fora* et non, comme je l'ai dit dans un moment d'aberration, *fori* (qui est le génitif singulier de *forum* ou bien le pluriel de *forus*, qui a un autre sens). J'ai reçu à ce propos des lettres amusées, charmantes et une autre franchement acide, ce qui manifeste à mes yeux que le prof de latin impitoyable et terrorisant est une espèce en voie de disparition. Tant mieux pour le latin. *Vindicatio*, pour revenir à mes moutons revendicatifs, c'est une réclamation en justice ; parfois, on réclamait la punition d'un agresseur, d'un ennemi ; la *vindicatio* correspondait au désir de justice, par la force du droit. Ce qui explique que le verbe *vindicare* ait pu aboutir en français à… *venger*.

Pourtant, lorsqu'on réclame son dû, ou ce qu'on estime l'être, il ne s'agit pas de punition ou de vengeance, mais d'une demande, qui peut d'ailleurs être insistante. Les mots gardent sournoisement des marques de leur passé : *revendica-*

tion conserve une force qui correspond à de la colère face à l'injustice. Ce mot est sorti du vocabulaire juridique : de la *reivindication* du XVe siècle, devant un tribunal, on est passé à une réclamation qui s'adresse au détenteur du pouvoir. Cela s'est passé précisément avec les socialistes français du XIXe siècle, notamment avec Proudhon, et avec l'apparition du syndicalisme moderne, entre 1830 et 1848. Le mot conserve pourtant une référence au droit ; on parle de revendication légitime, juste. Mais il existe des revendications excessives : l'énergie qui revendique peut dépasser le bon droit et parfois le bon sens ; de revendicative, elle redevient alors vindicative.

La vindication avait une dimension affective, parfois colérique. La revendication se rappelle qu'elle réclame une « chose » précise (*rei* « d'une chose »), par exemple le prix de la consultation médicale. Ce qui débouche sur des négociations : il ne s'agit plus de demander justice auprès d'un tribunal, mais d'obtenir une reconnaissance concrète pour la valeur d'un travail. En tant que réaction à l'injustice, la revendication est l'un des moteurs du progrès.

11 février 2002

Amiante

Une notion juridique nouvelle, celle de « faute inexcusable », s'applique maintenant aux entreprises qui imposaient la présence d'amiante aux travailleurs, cette substance présentant un grave danger pour leur santé.

L'image de l'amiante s'est totalement dégradée depuis qu'on connaît ses effets pathologiques : cancers des bronches, pleurésies, *asbestoses*, du mot *asbeste*, dont le nom grec signifie « ininflammable ».

Dans l'histoire des atteintes à l'environnement, l'amiante est exemplaire. Son nom, grec lui aussi, signifie « incorruptible ». En effet, *miantos*, dans *a-miantos*, vient d'un verbe signifiant « souiller », et d'où vient un mot inquiétant, *miasme*. Donc, un silicate minéral fibreux fut appelé *asbeste*, « inextinguible », et surtout *amiante*. Dans la vision du monde médiéval, le fait de résister au feu, à la combustion, correspondait à la pureté : dans le règne animal, l'être supposé vivre dans le feu, c'était la salamandre. En alchimie, on appela *salamandre de pierre* le minéral capable de protéger du feu. Ce qui fit la réputation de l'amiante, en toute ignorance des dangers qu'elle présentait. De la même manière, le tabac, l'herbe ramenée d'Amérique par Jean Nicot, était saluée au XVIIe siècle comme un admirable médicament. Les progrès de la médecine, de la connaissance scientifique ont mis à mal bien des découvertes, en dévoilant le mauvais côté des nouveautés qui modifient l'environnement humain. C'est ainsi que l'amiante, l'incorruptible, l'asbeste, l'ininflammable, envahit les ateliers, les usines, les bureaux, les écoles, les universités… par crainte du feu, effet pervers du principe de précaution.

Puis, on s'aperçut que l'amiante rendait malades ceux qui s'en approchaient, et pouvait tuer. Comme quoi la pureté a ses inconvénients. Ainsi, après avoir amianté, projeté des fibres (on dit « floquer ») un peu partout, il a fallu désamianter et défloquer. On défait après avoir fait.

C'est un peu l'histoire de la technique, et celle de la pollution, qui, au nom de la production et du profit, met en danger ce grand organisme fragile, notre planète. L'amiante, substance saluée pour sa pureté indestructible, était en fait une tueuse masquée. Bien des amiantes nous entourent, tels le pétrole, les industries chimiques, les manipulations génétiques, les déchets nucléaires. Mais aucune n'a eu le culot de se dire « incorruptible ». L'amiante ne manque pas d'air.

1er mars 2002

Football

Football et radio, football et télé, football et informations, crise des clubs français, magouilles, échecs, énervements, déconfitures, déceptions, et, autour d'un spectacle sportif qui peut être exaltant, pourtant, des flots d'argent un peu boueux... C'est évoquer, à l'intérieur du nom anglais du plus populaire des sports d'équipe, la pluralité des significations : on est allé du jeu, de l'esprit collectif, de l'effort et de la tactique autour du ballon rond au spectacle, et du spectacle à l'argent, avec en prime, l'incivilité.

Quand la langue anglaise, au XVe siècle, associa la balle (*ball*) et le pied (*foot*) pour désigner un jeu opposant les jeunes gens de deux villages autour de cette balle, le contexte était tout différent. En France, on connaissait la soule ou choule. Ce jeu qu'évoque Rabelais était un affrontement parfois rude, violent. Sa réputation était telle que dans Shakespeare, « joueur de football », *football player*, est quasiment une injure : « gros brutal », « voyou ». Aux antipodes des stars idolâtrées et couvertes d'euros que nous connaissons. Aux antipodes aussi du commerce mondialisé du spectacle. Le football assagi, organisé en Angleterre, avec des règles précises, se divise en deux branches : ballon au pied avec la *Football association* britannique, ballon à la main avec le jeu inventé par hasard en 1824 à Rugby, célèbre collège anglais.

Vers 1900, les deux jeux avaient envahi de nombreux pays, et parmi eux la France, où on parla de « football association », l'*assoce*. Les anglophones disaient *soccer*, formé avec le milieu du mot *association*, tandis que *football rugby* devenait *rugby* tout court, dans la France du Sud-Ouest, le *rrubi*. Football et rugby connurent des évolutions différentes : le premier devenant plus professionnel, et tournant finalement à l'industrie du spectacle, sans perdre son caractère de passion collective, jusqu'aux virulences sauvageonnes de « supporteurs » insupportables. Reste, dans les deux cas, l'esprit du sport et celui du jeu d'équipe. Notre langue, malicieuse, suggère que le foute est foutu, et que le soccer, comme on dit la chose en français québécois, a le moral dans les socquettes. Mais le plaisir désintéressé devant un beau match, mais l'ardeur des jeunes à s'initier au jeu, l'œil fixé sur le dieu Zizou, nous empêchent de désespérer. Footeux, footeuses et footophiles, ne vous laissez pas voler vos amours par le fric, la thune, l'osier, les dents trop longues plantées dans l'innocent ballon rond, rond-rond, pauvre petit patapon...

7 mars 2002

Cuisse[1]

Comme d'habitude, l'actualité est contrastée. En football, les Bleus s'inquiètent. Ce qui est moins banal, c'est que les mots les plus ordinaires sont avalés par des situations très particulières et les cristallisent.

Il suffit aujourd'hui que nous prononcions le mot *cuisse*, en France, pour nous transporter en esprit auprès de nos Bleus éprouvés, en Corée, et, bien sûr, pour penser, non aux augustes cuisses d'une reine, mais à celle, la gauche, de notre Zidane, menacé dans son quadriceps. Du coup, des millions de francophones apprennent des termes d'anatomie : *quadriceps*, par exemple, qui signifie « muscle à quatre têtes », où – *ceps* – c'est

1. Reprise, après interruption médico-chirurgicale, très peu dépendante de ma volonté.

celui de *biceps*, que l'on connaît mieux – vient du latin *caput*, « la tête ».

Mais ce sont là des mots savants ; *cuisse* paraît plus clair. Ça se place au-dessus du genou, ça sert beaucoup dans la vie. Quand elle est féminine, la cuisse, elle déclenche les fantasmes masculins. Mais quand elle appartient à Jupiter, elle déconcerte puisque cette cuisse mythologique a servi, ce qui est saugrenu, de mère porteuse pour le futur dieu Bacchus, dont la maman naturelle était morte. Comme quoi, rien n'est jamais perdu. Retour aux cuisses sportives : que la cuisse musclée, valide, agile soit bien nécessaire au sport, ou à la danse, nul n'en doute.

L'histoire du mot, le saviez-vous, est des plus bizarres. Le latin *coxa*, qui a donné *cuisse*, désignait en fait la hanche. La preuve ? Le fait que Zizou ne souffre pas, heureusement pour lui, d'une *coxalgie*. La cuisse latine se disait *femur* et le fémur est bien l'os de la cuisse. Mais voilà que ce « femour » – cuisse des Romains qui, comme on sait, va du genou à la hanche et aux fesses, ressemblait monstrueusement à *fimus*, « fimous », mot ordurier qu'on retrouve dans *fumier*. Mais les Gallo-Romains étaient pleins de ressources. Ni une ni deux : on prend la *coxa*, on la descend vers la jambe, et c'est notre bonne cuisse moderne. Et on se débarrasse du malodorant *femur* en le remplaçant par *hanka*, pure production germanique. Ça ressemble aux chaises musicales politiciennes – cela pour répondre aux esprits chagrins qui reprochent aux Français de se passionner plus pour le foot que pour les élections prochaines, ce qui n'est pas très citoyen. En outre, si on vote, en principe, avec sa tête, on va aux urnes, notamment, avec ses cuisses.

3 juin 2002

Effet d'annonce

Les exigences de la politique, entre action et communication, sont devenues un casse-tête pour les gouvernements. Si vous agissez et travaillez sans le montrer, ou en le montrant mal, l'opinion vous renvoie dans vos buts. Si vous communiquez habilement, de manière visuelle et acoustique – ce qu'exige la télé –, on vous accuse de gesticulation et, nous y voilà, d'effet d'annonce. C'est peut-être l'effet, plus que l'annonce, que l'on reproche aux politiques, sous-entendant ainsi qu'ils épuisent leur énergie à annoncer leurs intentions, et non à les réaliser. L'annonce rejoint la promesse dans le manuel du petit politicien en manque d'amour, et relève de la danse de séduction.

Annoncer est pourtant un mot vénérable et de haute moralité. Pensez donc, *ad-nuntiare*, c'est « envoyer un messager », une sorte de nonce, personnage apostolique, quasiment un ange annonciateur. Mais l'envoi de l'ange Gabriel à la Vierge Marie, pour lui annoncer la bonne nouvelle, s'est bien affaibli dans notre parole quotidienne. Les plus actifs des annonceurs ne sont certes plus des anges, mais des publicitaires : on est alors assez loin des sublimes annonciations de la peinture italienne, ou de *L'Annonce faite à Marie* de Paul Claudel.

Les annonces d'antan ont cédé la place aux pubs, mais il nous reste les petites annonces et les bandes-annonces de l'industrie du cinéma. Cela demeure un peu mesquin, au regard des messages, communiqués et communications, déclarations, avis et proclamations que le mot *annonce* englobait. De la solennelle prophétie et des signes, présages et augures, l'annonce s'est banalisée, devenant un modeste terme de belote prolétaire ou de bridge bourgeois.

Reste l'annonce d'un brillant programme d'action, censé séduire et enthousiasmer le citoyen-électeur. Les médias en font leurs choux gras et la vente des apparences y produit son petit effet. L'effet d'annonce n'est pas l'enfant du message angélique, mais plutôt de ce que nous continuons à appeler, malgré toutes les académies, le marketing. Un de ces jours, nous entendrons parler de l'announcing, et l'on enseignera cet art difficile à l'École nationale d'administration.

En attendant, puisque les actes et les décisions, s'inscrivant dans la réalité, ne peuvent que décevoir, les belles intentions, les bonnes volontés pétulantes et les projets mirobolants, actualisés sous forme d'annonces, produisent leur effet immédiat. Annoncez, annoncez, peu importe qu'il en reste quelque chose.

4 juin 2002

Cohabitation

Cohabitation est devenu mot politique en 1981, grâce à Valéry Giscard d'Estaing, grand créateur en langage, qui vient d'inventer pour M. Raffarin l'expression « Pompidou poitevin ». La cohabitation est une idée simple, si l'on admet que, dans notre Constitution, doivent coexister deux pouvoirs élus : un président, une majorité législative.

Rien que de naturel, si l'on fait abstraction des intérêts affrontés des grands partis, incarnant ces deux tendances prétendument dépassées, la droite et la gauche. Mais justement, la politique, c'est l'affrontement. La cohabitation, ces jours-ci, n'est plus une situation objective ; c'est devenu un épouvantail, brandi par les tenants d'une majorité unique qualifiée de cohérente. L'épouvantail contraire, c'est « tout le pouvoir à une seule tendance ». Et chaque grand parti brandit son drapeau en fonction de ses intérêts.

Ce qui ne veut pas dire que la cohabitation, de même que la réunion de tous les pouvoirs dans les mêmes mains, n'aient pas leurs inconvénients objectifs. Du côté cohabitation, le vent a tourné. Je me souviens qu'on en vantait les mérites, il y a quelques années, et qu'on nous expliquait, à propos des cohabitants Mitterrand et Chirac, combien les électeurs français étaient sages d'équilibrer ainsi les pouvoirs... Si l'on s'en tient aux mots, *cohabiter* n'a rien d'effrayant : habiter ensemble, par mariage, compagnonnage, voisinage, proximité, c'est la condition de la vie en société. Quant à la cohabitation par pacs, on entend bien que Mme Christine Boutin y est hostile. Le latin *habere*, « avoir », a donné *habitare*, qui signifia « avoir souvent, comme lieu de vie », c'est-à-dire... habiter. L'idée est parente de celle d'habitude. Avec *co-*, la résidence et l'habitation deviennent rapports humains : *cohabiter* se dit en français, à propos de la vie privée, depuis six siècles. Fallait-il que la politique s'empare du mot ? Il n'y a qu'un responsable, qui est une responsable, et c'est la Constitution. Si la cohabitation était une monstruosité, il serait urgent de changer de Constitution. Vouloir la proscrire, *a priori*, c'est à l'évidence empiéter sur la liberté de l'électeur, qui, lui, n'a pas fabriqué les lois gaulliennes. Tous ceux qui ont élu Jacques Chirac sans partager ses idées sont conviés au service après-vente, appelé « majorité claire ». La cohabitation, visiblement, trouble cette confortable donne. À l'électeur libre, qui n'est pas un électron, de décider.

7 juin 2002

Enfant

Dominique Bromberger a évoqué ce matin le sommet de la FAO à Rome. C'est une information discrète, ce n'est pas vraiment une nouvelle, et c'est pourtant une terrible réalité planétaire. Puisque le football, qui nous obsède depuis le début de la Coupe, nous lâche un peu, on va peut-être pouvoir parler de la condition humaine, et précisément de la situation des enfants.

L'enfance, pour nous, c'était l'attendrissement, l'avenir, l'innocence, c'était le fameux « cercle de famille » du père Hugo, qui « applaudit à grands cris » la chère tête blonde.

Mais l'idylle s'est évanouie. Dans nos régions prétendues développées, bien des enfants, abandonnés à eux-mêmes, sont à la dérive : petits délinquants et petites victimes. Mais dans les pays qu'on dit pudiquement « en voie de développement », c'est la catastrophe. Des millions d'enfants sont affamés, malades, atteints dans leur chair et dans leur esprit, transformés en bagnards pour que survivent des économies de misère, plongés dans la délinquance et la prostitution, aliénés de leur enfance même, ce temps qui devrait être celui de l'insouciance heureuse. Les millions d'enfants du tiers- et du quart-monde nous accusent. Mais ils nous accusent en silence et, curieusement, leur nom en français le dit tout net. *Infans*, passé du latin dans l'ancienne langue, ce n'est pas « le jeune », « le petit ou la petite », ni « l'innocent », qui veut dire « celui qui est incapable de nuire », non, c'est « celui qui ne parle pas ». *In-* négatif, et *fans*, du verbe *fari*, « parler ». L'*infans*, à l'origine, c'est celui qui ne parle pas encore ; puis le mot remplace le terme classique, *puer*, qui nous a donné *puéril* et *puériculture*. Dès lors, l'enfant parle, mais on dirait que le mot se venge : oui, les enfants du monde entier savent parler, en une multitude de langues, mais ils ont rarement droit à la parole – je salue au passage les « paroles d'enfants » de France Inter, qu'on peut entendre en fin de semaine.

L'école, parfois, donne la parole aux enfants, mais ceux dont il est question ne vont pas à l'école. Épuisés, malades, ils ne peuvent que gémir et pleurer ; enrôlés de force par la guerre, ils hurlent, ils meurent, parfois, ils tuent, en riant ; ou bien, écrasés de travail, ils se taisent.

Pour une fois que la loi du silence est brisée, vous m'excuserez si mon petit droit à la parole prend la forme du coup de gueule. Donnons la parole à l'infans, pour qu'il redécouvre l'enfance.

13 juin 2002

Immigration

Les préoccupations de l'Union européenne quant à l'immigration incitent à se poser à ce sujet d'autres questions que techniques et économiques. Des questions de langage, par exemple.

Spécialisé pour désigner l'arrivée d'étrangers à la recherche de travail ou d'asile, le mot est apparu à la fin du XVIIIe siècle, parallèlement à *émigration*, à peine plus ancien. Les familles de ces deux mots viennent du latin *emigrare* et *immigrare*, formés de *migrare*, signifiant « changer de lieu, de résidence ». *Migration* s'est dit dès le XVIe siècle des Français qui allaient s'installer aux Antilles ou en Louisiane, mais aussi, deux siècles plus tard, du déplacement forcé et criminel d'Africains « importés » dans ces régions comme esclaves et main-d'œuvre.

Mauvais départ, pour les migrations humaines. Ce qui frappe, dans ces mots, c'est qu'ils expriment les mêmes réalités, qui diffèrent selon les époques, et cela de deux points de vue opposés. Celui des migrants qui sont contraints de quitter leur pays s'exprime par *émigration* (avec un *é-* qui provient du *ex-* latin). On dit *immigration*, « migration dans » (du latin *in*) du point de vue des pays dits « d'accueil », sans préciser la qualité de cet accueil.

D'autre part, les situations historiques s'opposent : aucun rapport entre les aristocrates *émigrés* qui quittaient la France pendant la période révolutionnaire et, au XXe siècle, les travailleurs des pays du tiers-monde ou d'Europe orientale contraints de chercher des emplois dans les pays dits « riches » et où tout le monde ne l'est pas…

Quant aux deux points de vue, l'Europe veut traquer l'*immigration* clandestine et choisir ses *immigrés* en fonction de ses besoins ; les pays d'*émigration*, ne pouvant fournir travail et salaire, ne parlent guère d'émigration clandestine. Pour masquer ce contraste dramatique, il est commode d'enlever les préfixes et de parler de flux *migratoires*. On remarquera que le mot neutre, *migration*, s'applique bien aux animaux *migrateurs*, objets de la sollicitude explosive des chasseurs : on ne parle pas d'oiseaux immigrés, ni émigrés, et, même au

Front national, on ne milite pas pour la préférence nationale des volatiles.

Les mots sont révélateurs, et donc cruels ; une politique migratoire devrait rendre compatibles les intérêts affrontés de l'immigration et de l'émigration, puisqu'il s'agit des mêmes êtres humains.

20 juin 2002

Perchoir

L'actualité nous tend des mots trop souvent dramatiques (*immigration*, évoqué hier) ou répétitifs (*fête*, *musique*...), rarement charmants et ironiques, ce qui repose. Par exemple, le *perchoir*, non celui des volailles, mais celui de l'Assemblée nationale. Il faut remercier Jean-Louis Debré et Édouard Balladur qui, faute de participer à la fête de la musique, nous offrent un affrontement digne d'un match entre poids lourds de la politique majoritaire, une sorte de Brésil-Angleterre politique.

Cette lutte de titans, à laquelle nos médias accordent une certaine importance, ce suspens digne d'Alfred Hitchcock a pour enjeu une situation enviée, celle d'occupant du *perchoir* de l'Assemblée nouvelle. Ce perchoir prestigieux n'est pas la seule pomme de discorde en politique, puisqu'on nous dit que l'opposition cultive elle aussi la zizanie, qui est le nom grec d'une mauvaise herbe, l'ivraie.

On devine que le mot *perchoir* ne reflète pas la noblesse constitutionnelle de la fonction de président de l'Assemblée nationale, symbolisée par l'élévation du siège de président. Le mot *perchoir* désigne depuis plus de quatre siècles le bâton sur lequel on fait percher des volatiles. Du fait que les oiseaux ne sont pas seuls à pouvoir se percher, et qu'il n'est pas interdit de grimper aux arbres, *perchoir* a désigné diverses situations élevées. Le verbe *percher* lui-même, plus fréquent aujourd'hui sous la forme *se percher*, est un dérivé du nom féminin *perche*, qui vient du latin *pertica*. Ce mot désignait surtout une tige pour prendre des mesures. En français, la perche a trouvé d'autres affectations : on y fait se jucher les oiseaux, on s'en sert pour tirer quelqu'un de l'eau et on dit alors *tendre la perche*. De la situation dangereuse d'homme à la mer à celle d'homme-oiseau dans le sport du « perchiste », il n'y a qu'un point commun, la perche, qui est de toute façon une aide.

Quelle perche donnera l'avantage au candidat qui parviendra au perchoir ? Sans doute le soutien ou l'accord du président d'en haut, qu'on pourrait appeler, en hommage à un merveilleux roman d'Italo Calvino, *le Baron perché*. Mais on n'aura pas l'inconvenance d'appeler « grand perchoir » le palais de l'Élysée.

21 juin 2002

Majorité

La désignation du parti aujourd'hui au pouvoir est logique, sinon tautologique, puisqu'il se nomme « Union pour la majorité présidentielle », *ump*...

Comme toute désignation politique, elle établit une volonté qui cherche à coïncider avec le réel. En écartant une question toujours délicate : « l'union est-elle réellement unie ? », reste la certitude sur l'autre point : la majorité présidentielle est en effet majoritaire, au point que l'opposition, par définition minoritaire, déplore la toute-puissance de l'Autre.

Majorité est un mot vénérable : plus de sept cents ans de service, après le latin médiéval *maioritas*, dérivé de *maior*, *major*, qui a donné à la fois *majeur* et *maire*. Cela tombe bien, s'agissant d'un président qui fut maire de la capitale, et qui, de surcroît, a largement dépassé l'âge de la majorité.

Voilà l'ambiguïté du mot, qui désigne au Moyen Âge la charge de maire, l'âge majeur et la supériorité numérique. Du quantitatif et du qualitatif, et du pouvoir, municipal et même militaire. Au XVIIe siècle, la charge de *major*, haute fonction militaire venue d'Espagne, se nommait une « majorité ».

Pas beaucoup de politique dans tout cela, mais la Grande-Bretagne, source d'une bonne part du vocabulaire de nos institutions, *parlement* par exemple, veillait. Par une sorte de ping-pong linguistique au-dessus de la Manche, le mot français fut pris par l'anglais au XVIe siècle, et *majority* se mit à désigner le plus grand nombre, alors qu'on disait en France *pluralité*. Ce plus grand nombre, dans un système parlementaire, s'applique aux assemblées politiques, et la *majorité*, en ce sens, revient en France peu avant la Révolution. Enfin, c'est en 1789 que le mot désigne le groupe, le parti qui l'emporte par le vote. Ce baptême révolutionnaire n'implique pas que les majorités actuelles – on le voit – penchent pour les solutions révolutionnaires.

Un des emplois les plus célèbres de *majorité*, c'est la célèbre *majorité silencieuse*, formule due au président Nixon, qui opposait en 1970 une *active minority*, « minorité active », à la *silent majority*. L'ambition de la majorité française actuelle est certainement d'être active, et on constate qu'elle ne demeure pas silencieuse. Dans une démocratie, la majorité et la minorité doivent être loquaces : elles parlent et, idéalement, elles *se* parlent. Nous attendons.

26 juin 2002

Crise

On ne sait s'il faut parler de krach, mais en tout cas, la Bourse et une partie de l'économie mondiale sont en crise. Le mot *krach* venait de Hollande, avec l'influence de l'allemand. Il a pris son sens financier avec l'effondrement des cours de la Bourse en Autriche, en 1873. La crise, elle, est une plus vieille affaire : en grec, *krisis*, c'est un « jugement » et cette idée initiale, celle du verbe *krinein*, « juger », se retrouve dans *critique* et dans *critère*. En latin et en français, *crisis*, *crise*, est un mot de médecine : la crise est le moment où la maladie tourne, bien ou mal, où son évolution décide du sort du patient. C'est, si l'on veut, une explosion de symptômes : le mal se démasque et montre son jeu. C'est un peu ce qui se passe ces temps-ci.

Il y eut les crises de nerfs, aujourd'hui concurrencées par les cacas nerveux très freudiens, mais les grandes crises sont politiques, financières, boursières. C'est un joli cadeau du XIXe siècle et de la révolution industrielle, marquée par la naissance du grand capitalisme. Avant cela, on parlait plutôt de *révolution*, mot qui supposait un retour et un retournement. Car la crise n'est pas une catastrophe définitive ; elle suppose une succession d'états aigus, mais qui peuvent s'apaiser : un cycle. La crise, par définition, ne dure pas : comme en médecine, ou bien elle conduit à la mort, ou à la guérison. La crise aiguë secoue et épuise. Après la grande crise de 1929, le mot a fait peur, et on a préféré parler pudiquement de *récession*, face négative de la croissance.

Mais le bon sens de la langue quotidienne a corrigé l'illusionnisme des économistes : on parle de *crise sociale*, de *crise de civilisation*, *des valeurs*, *de la morale*. Nous avons pris la triste habitude de vivre en crise. À l'occasion de la crise boursière actuelle, on voit bien que la crise est d'abord morale : les effondrements financiers sont clairement liés à des fraudes. WorldCom, la com' mondiale, était donc fondée sur le mensonge et l'escroquerie. Les déroutes et les déconfitures, en créant des situations *critiques*, aboutissent à des ruines et à des licenciements. Il ne s'agit plus de se lamenter ou de moraliser, exercice où George Doublevé Bush est passé maître, mais, comme les mots le suggèrent, de faire la *critique* du système qui produit ces scandales.

27 juin 2002

Proximité

Voici venu, selon Jean-Pierre Raffarin, le temps de l'action et de la confiance dans une République de proximité. L'action, la confiance et la République sont des thèmes récurrents, mais jusqu'ici la proximité n'avait pas eu droit à cet honneur.

C'est, cependant, un mot à la mode, qui exprime depuis une vingtaine d'années le fait d'exercer une activité tout près des usagers : la police de proximité se promène près de chez vous, les commerces de proximité vous évitent de traverser la ville pour acheter un yaourt, le médecin de proximité vient vous voir à domicile. Le record de la proximité, ce doit être la radio et la télé qui ajoutent le son et les images à l'eau courante (tiens, revoilà Vivendi[1] !), au gaz et à l'électricité pour donner à nos petits nids un agrément de proximité supplémentaire.

1. Cette entreprise unissait les ambitions aqueuses à l'exploitation des passions populaires pour les divertissements sonores et visuels.

On sent bien que *proximité* est en rapport avec *proche*, qui vient du latin *prope*, c'est-à-dire « près ». Plus près, c'est *proprior*, qui n'a pas eu de succès, à la différence du superlatif *proximus*, « le plus près ». La *proximitas*, c'est donc le fait d'être le plus proche possible, que ce soit par le voisinage concret ou par la parenté, la ressemblance, l'union. Notion très politique, comme le montrent les mots *Assemblée* et *Union*. La proximité concerne aussi ce qui est proche dans le temps, mais il me semble qu'on parle plus souvent de la proximité d'un orage ou d'une échéance que de celle d'une fête. Dans l'espace aussi, toute proximité n'est pas heureuse : les fusées de proximité, qui se déclenchent tout près de l'objectif, sont moins plaisantes que le bistrot de proximité, en face de chez vous.

Ce qui est favorable dans la proximité, c'est qu'on voit mieux quand on voit de près. Mais attention ! On peut lire ceci dans les *Pensées* du grand Pascal : « Nos sens n'aperçoivent rien d'extrême, trop de bruit nous assourdit, trop de lumière éblouit, trop de distance et trop de proximité empêche la vue... » Autrement dit, à garder le nez sur son sujet, on n'y voit plus clair ; mais à prendre de la hauteur, on se détache des problèmes.

C'est une des grandes difficultés de l'action, en particulier de la politique. Les grands symboles, les principes, et donc la République ne doivent pas rester abstraits : donc, proximité ; mais ils doivent garder de la hauteur. Trop de proximité limite la vision... et tue la proximité.

4 juillet 2002

Amnistie

On en parle depuis quelques jours, de l'amnistie, et nous sommes nombreux à penser que c'est un sujet médiocre, un peu scandaleux même... Qui a prononcé cette phrase : la France « est fatiguée, exaspérée d'entendre constamment se reproduire ces débats sur l'amnistie » ? Ce n'est pas un râleur ou une râleuse d'aujourd'hui, mais bien Gambetta, en juin 1880, lors d'un discours à l'Assemblée.

L'amnistie portant sur les infractions routières est choquante, dans un pays où le comportement collectif des automobilistes, l'un des pires en Europe, conduit à ce que l'on prétend combattre, le désordre, l'incivisme et l'insécurité. Une *amnistie* ne doit pas être confondue avec un *armistice*, qui est un arrêt de l'usage des armes. *Amnistie* est pris au grec *amnestia*, qui signifie « oubli », de l'adjectif *amnestos*, « oublié ». On a d'abord dit *amnestie*, ce qui est d'ailleurs plus correct, et cette forme est passée du français à l'anglais, pour nous revenir sous la forme *Amnesty*, l'association qui lutte contre les violations des droits de l'homme et réclame la fin des persécutions et des injustices. Si le pardon, s'agissant de violences exercées par les pouvoirs et les polices, est une pratique déjà discutable, c'est vrai aussi pour les infractions, même mineures, justement sanctionnées. *Amnistie* est cousin d'*amnésie*, qui désigne un oubli pathologique. Ces mots vont à l'encontre d'une fonction vitale de l'esprit, la mémoire. En matière de justice, l'amnistie nécessite une loi et se distingue de la grâce, qui vient du chef de l'État. On peut s'étonner que les députés fraîchement élus soient conviés à voter l'oubli, et trouver que cette amnistie républicaine évoque un peu trop, depuis une quarantaine d'années, le fameux don de joyeux avènement des souverains... Elle évoque aussi, sur le plan moral, les scandaleux non-lieux et les étranges jugements d'indulgence de la justice.

Il est désagréable de s'opposer au pardon, à l'oubli des actes délictueux et à l'envol des papillons de contravention, plutôt sympathique en soi. Mais à certains moments, et quand des problèmes tragiques pèsent sur le monde, un long débat sur l'oubli des incivilités que nous commettons avec nos voitures paraît dérisoire.

Enfin, symboliquement, une politique de l'oubli, et d'un oubli réduit et circonscrit, qui souligne l'iniquité du principe, ce n'est pas un superbe début.

8 juillet 2002

Santé

Rien de plus difficile que de définir la santé, sinon qu'elle s'oppose à la maladie, où l'on perçoit le mal. Dans l'être vivant, des principes contraires coexistent : la mort est un aspect de la vie, la maladie fait partie des situations normales et la santé est un état heureux, qu'on cherche à préserver ou à retrouver. C'est même la raison d'être d'une activité indispensable à l'équilibre des sociétés et des individus, j'ai nommé la médecine.

Si le mot *santé*, venu du latin *sanitas*, est très ancien, son emploi pour désigner la situation collective des êtres humains, quant à la physiologie, apparaît au milieu du XVIIe siècle, c'est-à-dire à une époque où on commence à lutter effectivement, et non par des mesures symboliques, contre les épidémies. On commence, sous le règne de Louis XIV, à parler de *lieux de santé* et, au début du XVIIIe siècle, de *maisons de santé*, qui sont en fait des maisons de soins. Le nom étonnant de la prison de la Santé, à Paris, vient de ce qu'elle remplaça un hôpital de cette époque.

Le mot *santé* continue à désigner à la fois l'idéal de notre état physique et cet état, qu'il soit bon ou mauvais. Ainsi, on dit : « il a des *problèmes de santé* », et cela signifie « de maladie ». *Santé* a fini par désigner toutes les activités qui contribuent à soigner, à remettre sur pied les habitants d'un pays, d'une région. La santé résume non seulement les situations personnelles, mais une immense organisation médicale, chirurgicale, pharmaceutique, hospitalière. Notons pour souligner le peu de cohérence de notre langue – on dira la fantaisie, pour être positif – que l'adjectif de *santé* ne devrait plus être *sanitaire*, qui est bien insuffisant, mais *médical*.

« La santé n'a pas de prix », a déclaré notre ministre *de la Santé*, précisément. C'est en effet l'opinion de chacun et chacune d'entre nous : « pourvu qu'on ait la santé, etc. ». Au sens collectif et actif de « médecine », la santé, la santé publique est coûteuse : Sécurité sociale, hôpitaux, activités médico-chirurgicales. Il en va de même pour d'autres domaines d'action collective, consacrées au maintien de valeurs : la santé, la sécurité, la paix, et finalement ce fameux bonheur qui, disait Saint-Just en son temps, « est une idée neuve en Europe ».

La santé, elle, n'est pas une idée neuve : on en parle, on en rêve sous ce nom, en français, depuis le XIIe siècle. Il serait triste que, servie par une technique et des savoirs en immense progrès, par des professionnels de plus en plus compétents, elle soit freinée et menacée par les contraintes budgétaires. Une des questions les plus révélatrices de l'état d'un pays est bien : « Alors, comment ça va, la santé ? »

12 juillet 2002

2003

28 janvier : Élections en Israël
5 février : Catastrophe de la navette Columbia
30 janvier, 12, 17, 19, 25, 27 février, 2, 3, 11, 17, 18, 21, 27 mars, 1er, 4, 7 avril : La question irakienne ; la « coalition » États-Unis – Grande-Bretagne ; la guerre
15, 17, 21, 22 avril, 9 mai : L'Irak vaincu, occupé, chaotique
24 avril, 2 juin : Rapports entre les États-Unis et la France, après la guerre d'Irak
11 avril : Fin des vols du Concorde
26 août, 9 septembre : La canicule meurtrière de l'été 2003
28 août, 29 octobre (et voir ***2 mai 2005) :*** Proposition de suppression d'un jour férié, en France
1er octobre : Fusion d'Air France et de KLM
17 octobre : Rencontre Chirac-Schröder

Dysfonctionnement

Le mot *dysfonctionnement*, ce matin, ne doit pas faire penser à la lutte antiterroriste, mais à des événements très récents, moins dramatiques, mais désagréables. Les automobilistes sans méfiance coincés sur les autoroutes enneigées, dans des bouchons monstrueux, les voyageurs abandonnés par des avions figés par le gel ont eu l'impression d'une incapacité généralisée à gérer un événement pourtant assez normal en janvier et, pour tout dire, d'une somptueuse pagaïe. *Pagaïe*, mot de marins, dont l'histoire est surprenante, car c'est le même que la pagaie des pirogues dont le maniement paraissait désordonné aux Européens, est familier et désobligeant. Il a un synonyme plus élégant et plus savant, *dysfonctionnement*, qui recourt à l'élément *dys-*, très courant dans la langue d'Homère. Le français a emprunté des termes médicaux qui expriment un mauvais fonctionnement, comme la *dysenterie* ou la *dyspepsie*. Puis on a formé des mots nouveaux, comme *dissymétrie* (écrit distraitement *dis-*) ou *dyslexie*. Sans doute fatiguée de chercher des radicaux grecs, la médecine a fabriqué des mots en *dys-* avec du français, tel *dysfonctionnement*. Comme *fonctionner* et *fonctionnement* concernent tous les domaines, on est passé du dysfonctionnement hépatique ou gastrique à celui des institutions, des gestions, des organisations. Cet élément de mots a dû être stimulé par le *dis* latin, celui de *distraction*, de *discorde*, de *disparaître*, qui exprime la séparation, l'écartement, ce qui peut évoquer une idée voisine. On pourrait dire que le mot *dysfonctionnement* fonctionne lui-même assez mal et marque plus de prétention que de pertinence. La langue familière et spontanée le sait, qui préfère parler de *pagaïe*, de *bordel*, de *cafouillage*, laissant les dysfonctionnements aux énarques et aux ministres, quitte à râler grave contre les responsables. Nous sommes tous sujets, de temps à autre, au dysfonctionnement. Ainsi, il y a quelques jours, j'ai osé dire, je me cite : « C'est une erreur que j'ai fait. » Aïe aïe aïe… la faute, l'erreur, la bourde, la gaffe… « que j'ai fait*e* », bien sûr. Merci aux auditeurs, attentifs et sévères, mais néanmoins fort civils, qui m'ont écrit pour souligner ce dysfonctionnement inexcusable. Traduction libre : ce qu'on peut dire comme conneries quand on ne se surveille pas…

6 janvier 2003

Révolte

Avant la *rébellion*, mot qui exprime une guerre « en retour », avant la *révolution*, qui désigne une violence historique mais exprime un mouvement cyclique, existe un sentiment, une attitude, un refus, une réaction contre la réaction et les réactionnaires, qui s'appelle la *révolte*.

Révolte est dérivé du verbe *révolter*, ce qui montre que c'est un mouvement, une action et non pas un état. Il y a des révolutions calmées, embourgeoisées, qui produisent des régimes tranquilles, des révolutions figées, durcies, momifiées, alors que la révolte, ça bouge ou ça meurt. Le mot nous vient d'Italie, *rivoltare*, de *voltare*, « tourner » ; il est apparenté à *volte*, à *volute*, et, on s'en doutait, à *révolution*.

Quand tout le monde marche dans le même sens, ce qui est le but des sociétés humaines, cela tourne facilement au défilé militaire, au conformisme, et ça n'est plus un idéal. D'où le besoin, le désir de se détourner et de se retourner. La révolte est un retournement qui exprime un refus.

Quand le mot était tout jeune, au XVIe siècle, *se révolter* se disait de la religion : il y avait le bon retournement, appelé *conversion*, mot qui vient de *vertere*, « tourner », et le mauvais retournement, la *révolte*. À une époque d'autorité monarchique et de religion d'État, au XVIIe siècle, la révolte n'avait pas bonne presse : pour les partisans du pouvoir et de l'ordre, c'était simplement un mouvement de violence à réprimer. On se souvient de la réaction du malheureux Louis XVI, à l'annonce de la prise de la Bastille par les insurgés : « Est-ce donc une révolte ? » – selon d'autres, il aurait dit : « une émeute » – à quoi le duc de La Rochefoucauld-Liancourt aurait répliqué : « Non, Sire, c'est une révolution », ce qui n'était pas une prophétie, mais un mot banal à l'époque pour désigner tout changement brusque en profondeur.

Quant à *révolte*, le mot avait déjà pris une valeur positive : preuve, l'apparition de l'adjectif *révoltant*, qu'emploie Voltaire, pour désigner ce qui suscite une réprobation justifiée. Si quelque chose ou quelqu'un est révoltant, alors il est juste de se révolter. Et peu à peu, on en arrive à Albert Camus, à la révolte philosophique contre l'absurdité du monde. Dans *L'Homme révolté*, Camus s'expliquait, en parlant de « cette folle générosité [qui] est celle de la révolte, qui donne sans tarder sa force d'amour et refuse sans délai l'injustice. La révolte est le mouvement même de la vie ».

Finalement, la révolte est bonne, à condition de se retourner contre ce qui est révoltant. C'est déjà, aurait dit le général de Gaulle, un très vaste programme.

7 janvier 2003

Soldes

Les soldes commencent ce matin. Les sociologues nous disent que c'est un véritable phénomène de société. De coup, ce mot qui vient tout droit de la comptabilité se gonfle d'importance, d'autant plus qu'il recèle une difficulté. La plupart du temps, on l'emploie au pluriel : *les soldes*, la période *des soldes*, et on ne se pose pas la question qui tue : faut-il dire *un* ou *une* solde ? *Ce solde* est une bonne affaire, ou pas ? C'est bien *un*, *le solde*, dans le cas présent, mais *la solde* d'un soldat n'en est pas moins français. *Soldat* et *solde* viennent de l'italien où *soldato* veut dire « celui qui reçoit une solde », *soldo* (masculin en italien, d'ailleurs), le tout remontant au latin *solidus*, qui a donné *sou*, le petit sou dont on parle encore, malgré l'euro. Où est donc la solidité, dans cette affaire ? Dans la belle et bonne pièce d'or, fort solide en effet, qui sonne et qui trébuche.

Quant à nos soldes de ce matin, c'est le résultat d'une longue histoire. Comme beaucoup de mots de finance et de banque – à commencer par le terme *banque* lui-même –, c'est un cadeau de l'Italie, où *saldare* signifiait « arrêter un compte » – encore une fois, le rendre « solide » – et *saldo*, la différence entre l'actif et le passif de ce compte. C'est l'idée de la balance et du bilan. En français, on a rétabli le *o* de *solde* et *solder*, à cause de la solde du soldat et on n'a pas eu tort, puisque le bon latin classique disait *solidus*. *Solde*, le mot, fut d'abord flottant : on a dit *la soulde*, puis *le solde*, d'abord en comptabilité, par exemple dans l'expression *pour solde de tout compte*. Puis, vers 1850, les commerçants se sont dit que, avant de *solder* leurs comptes, il valait mieux se débarrasser des invendus, pour augmenter un peu l'actif et diminuer le passif. Un malin imagina qu'en baissant le prix, la marchandise restée en magasin, le « rossignol » – comme on disait – perché sur les rayons les plus hauts, partirait mieux. Et on a parlé de marchandises *en solde*, puis pour faire plus simple, vers 1900, *des soldes*, au masculin quand on voulait « bien parler », ce qui n'est pas forcément un objectif commercial. On remarque que les soldes, cela coïncide avec l'apparition du grand commerce moderne. Le mot, il y a un siècle, n'avait pas trop bonne presse ; le XXe siècle a inventé les *promotions* et au Québec, on a surtout parlé des « ventes », en traduisant l'anglais *sales*, qui a le sens de « solde ».

Aujourd'hui, les soldes sont devenus un procédé de vente, une bonne affaire pour l'acheteur, parce que l'objet vendu est le même en moins cher. Alors, vivent les soldes, et la « fièvre ach'teuse » qui ne donne pas d'aphtes, mais qui vide les portefeuilles, ce qui est le but de cette chère « horreur économique ». Phénomène de société, on vous dit…

8 janvier 2003

Dialogue

Sous toutes ses formes, le dialogue est une dimension essentielle de la vie sociale. C'est un mot ancien en français comme en d'autres langues vivantes, et nous le devons aux philosophes grecs, notamment à Platon, qui n'expose pas ses idées en un discours unique, un monologue, mais sous forme d'une discussion à plusieurs. Ces dialogues mettent souvent en scène un certain Socrate, qui savait faire sortir la vérité, ou plutôt ce qu'on peut en connaître, par un jeu de questions-réponses où les interlocuteurs, réagissant chacun à leur manière, font avancer les idées de tous.

C'est bien l'idée qu'exprime *dialogos*, où *logos* signifie « la parole », et où *dia* signifie « à travers ». Mais comme *dialogue* s'oppose à *monologue*, où *mono* veut dire « un, unité », on croit souvent que le dialogue est une relation de parole entre deux personnes. Erreur fatale ! comme soupirent nos ordinateurs. Le dialogue est un discours à plusieurs, un discours qui traverse les différences individuelles, qui s'adresse à tous ceux qui se parlent et qui s'écoutent, car il doit aller dans les deux directions. De même, le *dia-lecte* est le langage commun à toute une région et la *diaspora* déplace une population à travers les pays. Le dialogue, au théâtre, au cinéma, à la télé, comprend les échanges de paroles entre tous les personnages.

Certes, on peut dialoguer avec un seul interlocuteur, mais la situation qu'évoque le mot *dialogue*, c'est l'échange généralisé.

Comme tous les mots de la parole, *dialogue* recèle une autre ambiguïté : celle de la forme et du sens. Lorsqu'on évoque la modernisation du dialogue social, c'est-à-dire de la discussion entre ces partenaires que sont par exemple les travailleurs, leurs employeurs, les entreprises, les correctes et les voyoutes, et puis l'État, et les associations et tous les citoyens, on peut viser soit les méthodes employées pour se rencontrer et discuter, soit les sujets à aborder pour faire avancer les choses.

Le dialogue est un aspect de la démocratie. La monarchie absolue et la dictature, c'est le *monologue*. Des monologues, nous en entendons tous les jours : c'est la pensée unique, la langue de bois. Sinon, on parle d'un dialogue de sourds.

Paul Valéry, à propos du dialogue intérieur, écrit que dans cet exercice d'échange, « l'esprit mis en mouvement... produit des idées vives qui s'enhardissent l'une l'autre ». Voilà sans doute l'idéal du dialogue. Le dialogue, à travers les groupes sociaux, doit être, avant tout, une parole réciproque.

27 janvier 2003

Expectative

Avant les élections en Israël, dans le contexte dramatique que l'on sait, et malgré les sondages qui prévoient, qui annoncent, qui prétendent cadrer l'avenir, il y a un sentiment d'attente. En Israël, en Palestine, en Côte d'Ivoire, au Moyen-Orient, l'attente se mêle d'angoisse, et plus que jamais, on est dans l'expectative.

Ce mot, aujourd'hui, mêle deux idées, l'attente et l'inquiétude, mais en principe, il n'exprime que le regard vers l'avenir. C'est ce que signifie le latin *ex*, « en dehors (du présent) » joint à *spectare*, « considérer, regarder » – c'est le *spect-* de *spectacle*. Dans toute situation difficile ou dangereuse, l'attention se tourne vers l'avenir. Avant que la science des prévisions ne s'empare de cette tentative, il n'y avait qu'à attendre ou bien à agir sans aucune garantie quant aux effets de l'action. Dans les deux cas, l'inquiétude, l'angoisse même s'empare de l'idée d'un avenir. C'est surtout l'attente passive qu'exprimait le mot *expectation*, qu'on a employé en médecine pour désigner la perplexité devant des symptômes et la décision de ne pas soigner et, comme on dit, de « voir venir ».

Expectation n'est pas un anglicisme ; c'est un mot français, depuis six siècles, mais le mot anglais parallèle, pris au même vocable latin, est beaucoup plus courant. Plus positif aussi : un des plus grands romans de Dickens, *Great Expectations*, est traduit en français par *Les Grandes Espérances*. Ce n'est pas l'espérance qui domine avec l'expectative dans laquelle on se trouve un peu partout dans le monde devant ce qui va advenir et qui s'appelle l'*a-venir*, mot superbe, qui recule en ce moment par passivité face à la langue anglaise, devant un autre mot, *futur*, qui n'est jamais qu'une forme du verbe latin *esse*, « être » : le *sera*, en quelque sorte.

Au XVIe siècle, l'*expectative* désignait l'espoir d'un avantage et il est vrai qu'on peut envisager l'avenir avec espérance. Mais, le plus souvent, ce sont les craintes qui l'emportent.

Cette idée d'« expectation » rappelle par son origine, *spectare*, l'idée de spectacle et d'aspect, mais aussi celle *d'in-specter*, où l'on cherche à savoir. Une autre notion que suggère *expectative* est plus inattendue, c'est celle de *respect*, qui est un regard en arrière et vers le haut. Il est vrai que l'avenir nous domine et nous dépasse. Finalement, l'expectative consiste surtout à regarder au-dehors pour constater les menaces d'orage, tout en espérant l'éclaircie.

28 janvier 2003

Division

Comment sont les États d'une partie importante de l'Amérique du Nord ? Unis. Et les nations réunies à New York ? Unies, unies, c'est marqué dessus. Et les États de ce cap du continent asiatique qu'on appelle Europe ? En voie d'union, mais divisés. La division de l'Europe sur la question irakienne est affichée avec insistance, ces jours-ci, et commentée avec un sourire satisfait par l'entourage du président Bush.

Division, pourtant, ne signifie pas « désunion ». Son origine, c'est le latin *dividere*, qui signifie « partager » et « répartir ».

Deux verbes français ont recueilli l'héritage latin : ce sont *deviser*, le plus ancien, puis *diviser*, modifié d'après le latin. Dans *diviser*, c'est l'idée de séparation qui l'emporte ; dans *deviser*, celle de répartition et d'organisation : or, pour produire un discours, pour deviser, gaiement ou non, il faut trier les idées et les sons et les organiser. *Deviser* a donné *devise* et *devis* ; *diviser* s'est accompagné de *division*, qui a conservé des valeurs d'organisation : la division du travail, par exemple, ou encore les divisions d'une armée qui, en principe, collaborent les unes avec les autres et ne s'opposent jamais. Même la division de l'arithmétique traduit une idée de répartition volontaire et précise. Et que dire de la division cellulaire qui fabrique des organismes ?

On nous affirme donc que l'Europe est divisée ; d'un côté la vieille, dit un certain Donald[1], moins plaisant que le célèbre canard de Walt Disney, de l'autre la gentille, la moderne, qui a décidé d'approuver en tout la politique du parti républicain des États fédéraux et unis. Ce mot, *État*, remarquons-le, est un peu trompeur : il ne semble pas qu'on puisse comparer l'Oaïo ou l'Aïe-i-oo-a, au demeurant fort respectables, avec leurs noms amérindiens[2], à la vieille France, à la moins vieille Allemagne et à la relativement jeune Belgique…

Autre division, pour l'Europe, dont on a oublié un peu de parler : celle qui sépare les chefs des États et les opinions. Car il semble bien que les Tony Blair, les Berlusconi, les Aznar et les présidents de la jeune Europe du Centre et de l'Est représentent des minorités de leur opinion publique. Mais, dans des régimes pourtant démocratiques ou proclamés tels, ce que les opinions pensent et ce que les chefs disent ou écrivent ne coïncide pas souvent.

Division, on vous dit. Pas très constructive celle-ci. Et on craint que la parole et l'action

1. Son patronyme : Rumsfeld.
2. Ohio, Iowa.

aillent être confiées à d'autres divisions, celles de l'armée étatsunienne, soutenues par d'autres, plutôt britanniques. Qui est vraiment d'accord ? Il n'y aura pas de référendum pour le dire, mais on ne nous empêchera pas d'en deviser.

30 janvier 2003

Rassurant

Les réactions sont unanimes, quelles que soient les opinions, après les déclarations de Jean-Pierre Raffarin : il s'est voulu à la fois rassurant et réformateur. Réformateurs, tous les gouvernements souhaitent l'être ; peu y parviennent sans difficulté. Rassurer, c'est plutôt un style qu'une méthode, mais on évoque la « méthode Raffarin » dans les médias, en donnant sans doute au mot *méthode* sa valeur originelle, qui est simplement « le chemin (*hodos*, en grec) pour aller plus loin (*méta*) ». Dans ce cheminement, donc, on peut adopter plusieurs manières de faire : rationnelle, froide, objective, ou agressive, « droite dans ses bottes[1] » et, au contraire, douce, progressive (pas agressive), rassurante.

Rassurer, c'est « rendre plus sûr », assurer avec force : *rassurer un mur* s'est dit au Moyen Âge pour « consolider, stabiliser ». Mais c'est le sens figuré, « rendre la confiance, la tranquillité », et pour ainsi dire « rasséréner, tranquilliser », qui l'a

1. Allusion à une expression d'Alain Juppé.

emporté. *Rassurant* se rapproche donc de *calmant* et de *tranquillisant*, sans toutefois évoquer le domaine pharmaceutique. Cela vaut mieux, car, sinon, on finirait par parler de placebo ou de dorer la pilule. C'est pourtant l'un des caractères du discours politique que de faire éprouver à ses auditeurs et à ses lecteurs un sentiment de mieux-être sans vraiment changer les choses. *Rassurer* ne veut pourtant pas dire « endormir », ce qui peut provoquer soit de beaux rêves, soit des cauchemars.

Rassurant, on l'est naturellement ou on ne l'est pas. De quel homme politique François Mauriac, qui avait la dent dure, disait-il qu'il rassurait le Français moyen, vers 1960 ? De M. Pinay avec son petit feutre !

M. Raffarin ne porte plus le chapeau – au sens propre – et n'a pas attaché son nom à une monnaie, ce qui rassurait beaucoup. Reste qu'il se veut rassurant : par exemple il parle d'« harmoniser », de réforme « progressive » ou « ajustable », de « concerter », de « sauver » (la répartition). Il a d'autant plus de mérite que la situation l'est nettement moins, rassurante, notamment en ce qui concerne l'avenir des retraites des Françaises et des Français. Prudence et bonhomie rassurent mais ne résolvent pas les problèmes, ni ne révèlent les intentions véritables. La gouvernance, ça s'évalue, la « rassurance », cela reste assez subjectif, et cela fait penser aux assurances qui sont nécessaires, mais n'ont pas toujours bonne réputation.

4 février 2003

Navette

La catastrophe de la navette Columbia est certainement plus spectaculaire et plus médiatisée dans le monde que tout autre accident faisant le même nombre de morts. Les raisons en sont claires : il s'agit d'un épisode essentiel de la volonté – certains diront la prétention – humaine, qui cherche à dominer la nature. En français, il y a un paradoxe avec le vocabulaire de l'espace, ce domaine de l'ambition la plus extrême, qui doit recourir à des vocables anciens, témoins de techniques ou de coutumes du passé, comme *fusée* ou *navette*. Ce dernier n'a pas toujours représenté un engin énorme, très coûteux, symbole de la présence de *Homo* hors de la planète natale – et d'une fierté nationale. La navette fut, en toute simplicité, le diminutif d'un mot très ancien, *nef*, qui désigna un bateau avant de s'appliquer à la forme de vaisseau de la partie allongée d'une église. Petit bateau ou barque, c'est l'image qui servit à nommer un instrument essentiel du tissage, cette pièce allongée en fuseau, telle une « petite nef », qui fait passer le fil de trame entre les fils de chaîne. La navette va et vient tout le long des fils. Cela fait qu'on a dit *jouer de la navette*, au XVIe siècle, dans un sens érotique que je vous laisse deviner. Plus correctement, *faire la navette entre deux endroits* signifie « aller et venir ». De là le nom de *navette* pour un véhicule qui relie deux points et va dans les deux sens. Aujourd'hui, on prend la *navette* entre Nice et Paris à l'aéroport, et il y a des navettes spatiales entre la Terre et les stations orbitales.

Le désastre de Columbia n'est pas spécifique au système de navette construit et employé par les États-Unis, hyperpuissance technique et scientifique. La réaction affective et religieuse de l'opinion et de la présidence des États-Unis devant cette catastrophe montre que la technique demeure au service des rêves et des croyances. « Dieu bénisse l'Amérique » (*God bless America*), formule qui mériterait commentaire, dans cette situation de deuil.

Comme le rappelle avec pertinence Paul Virilio, en inventant un progrès technique, on crée aussi les accidents qu'il suscite. En inventant le navire, nef ou navette, on invente le naufrage ; en sillonnant l'espace, on multiplie les échecs ruineux, les pollutions de l'atmosphère, les catastrophes comme celle d'avant-hier.

Il serait bon que le sens de *navette*, c'est-à-dire l'aller et retour, s'applique parfois au retour sur soi-même. Les États-Unis excellent à un exercice qui dégage les responsabilités humaines et qui consiste à se défausser sur la Providence des erreurs très humaines : un « *coup du sort* » disait Dominique Bromberger tout à l'heure. Cette navette-là ne revient pas toujours.

5 février 2003

Veto

Est-ce le temps des veto ? Les États-Unis sont fâchés lorsqu'un veto bloque une décision de l'Otan. Ce veto, d'ailleurs, n'en est pas un juridiquement, Bernard Guetta vient de m'affranchir. Que serait-ce si un vrai veto intervenait au Conseil de sécurité ? Le veto, tout le monde le comprend, en français comme en anglais, est une déclaration de refus, une interdiction.

Le mot fait irrésistiblement penser à *vote* et *voter*, car on vote le veto et ce faisant, on bloque, on empêche, on coince... Et pourtant, les deux mots, d'origine parfaitement latine, n'ont qu'une ressemblance formelle. *Votum*, d'où vient le *vote*, c'est une prière adressée aux dieux sous forme de promesse : si j'obtiens tel avantage, je te donne ceci, un sacrifice, par exemple... D'où l'idée de *vœu*, de *votif*, de *vouer*... *Vetare*, c'est pratiquement le contraire ; un mot de vocabulaire religieux, lui aussi, mais pour interdire.

Voilà bien la vieille Europe ; quand elle n'est pas d'accord et qu'elle le fait savoir, elle se met à parler latin : *veto*, *veto*, « j'interdis », c'est ce que pouvaient proférer les tribuns romains, pour s'opposer à un décret du Sénat ou des consuls.

Le droit de dire non, en politique, avait reçu un nom, et les temps modernes s'en souvinrent lorsque l'Église souhaita contrôler, au XVIIIe siècle, les délibérations de la diète polonaise. En français, le veto commença sa carrière en 1790, avec le même aspect de censure, puisque c'est le roi qui avait le droit de bloquer l'entrée en vigueur d'une loi régulièrement votée. De là les surnoms donnés à Louis XVI et à Marie-Antoinette par le peuple de Paris : Monsieur, Madame Veto.

Aujourd'hui, grâce à l'organisation internationale mise en place sous l'égide des Anglo-Saxons et des Russes, le veto permet au représentant d'un pays de s'opposer à une décision collective. L'unanimité est soit un beau rêve d'accord parfait, soit, plus souvent, le reflet d'une autorité impérieuse à laquelle nul n'ose s'opposer. Malheureusement, pas de veto pour s'opposer à diverses monstruosités comme l'écrasement génocidaire de la Tchétchénie, les famines organisées en Corée du Nord, les attentats terroristes, la peine de mort très légale dans de nombreux pays et tout ce que décrit *Amnesty*. Pas de veto pour l'Apocalypse ; non, le veto, on le réserve aux mômes qui veulent cloper, les salauds !

12 février 2003

Vaccin

Agissant sur les défenses immunitaires en les stimulant, le vaccin, qu'il soit préventif, thérapeutique, curatif, est traditionnellement une substance préparée à partir de germes pathologiques modifiés. Ceux-ci sont devenus du même coup efficaces pour combattre les mêmes micro-organismes et virus en activité. La vaccination, qui combat le mal par un affaiblissement du mal, est l'une des grandes inventions médicales. Le mot, avec toute sa famille, apparaît en français il y a un peu plus de deux cents ans, en 1800. Le procédé doit son nom à une maladie, grave sous sa forme humaine, la *variole*, *variola*, dérivé du latin *varus*, désignant une éruption cutanée. Cette maladie assez effrayante, qui pouvait défigurer et tuer, s'appelait aussi *petite vérole*, bien qu'elle n'ait rien à voir avec la vraie vérole, autrement appelée syphilis, mot dont l'histoire est d'ailleurs extravagante – mais « ceci est une autre histoire ». La « petite vérole », nom trompeur pour une si grave maladie, a une forme animale qui affecte la vache, *vacca*. Les médecins disaient *variola vaccina*, qui ne signifiait pas « vacherie de variole », mais au sens propre « variole de la vache », grâce à l'adjectif latin *vaccinus*, assez rare pour plaire aux grands amateurs de jargon qu'étaient alors – soyons gentils – les médecins. La *variole vaccine*, en abrégé la *vaccine*, reçut ce nom au milieu du XVIIIe siècle. Pour aller de cette maladie, qui n'a rien à voir avec la vache folle, au vaccin, il fallut la géniale trouvaille d'Edward Jenner, médecin britannique. Il avait observé que les vachers qui avaient contracté la variole des bovins résistaient remarquablement aux épidémies de variole humaine. Il eut l'idée d'inoculer cette *cow pox*, cette vaccine, aux humains, à titre préventif : c'était en 1796 ; le *vaccin* était né.

Oubliant l'origine vachère – ou vacharde –, on se mit à vacciner contre des bactéries, des virus, à préparer des vaccins antirabiques, avec Pasteur, antituberculeux, antigrippe, anti-VIH (*VIH* pour « virus de l'immunodéficience humaine ; *HIV*, c'est la version anglaise : « human immiouno, etc. »). Ce dernier, dont il est question maintenant, ne prévient pas le syndrome, il le calme en endormant ce virus redoutable. Après la trithérapie, qui a sauvé bien des malades, mais qui a de sérieux inconvénients, le vaccin thérapeutique constituerait une avancée dans ce combat.

Ce sont bien sûr les chercheurs d'aujourd'hui, tel le professeur Kazatchkine, qu'il faut remercier, mais on peut avoir une pensée-souvenir émue à l'adresse d'Edward Jenner, des vachers anglais du XVIIIe siècle, sans oublier leurs vaches.

13 février 2003

Pacifiste

L'état de guerre a si longtemps été considéré comme inéluctable, comme une fatalité historique, qu'il n'y avait pas de mot en français pour désigner les partisans de la paix. On devrait célébrer le centenaire de certains mots : *pacifisme* et *pacifiste* en font partie. Le premier avait été proposé par un étonnant fabricant de néologismes, nommé Richard de Radonvilliers, en 1845, mais l'usage réel ne l'a suivi qu'en 1901, et on trouve *pacifiste* seulement en 1906. Les risques d'une guerre européenne devenaient alors sérieux, et contre les nationalismes agressifs – celui de l'Allemagne, en particulier –, contre les tentations belliqueuses de revanche de la France, amputée par la guerre en 1870, il fallait du courage pour se proclamer partisan de la paix.

On imagine que, vers 1913, confrontés à la préparation d'un conflit, les pays d'Europe considéraient les « pacifistes » comme des empêcheurs de guerroyer en rond et que le mot *pacifisme* était synonyme d'indifférence nationale, voire de lâcheté. Bien entendu, les partisans de la guerre se disaient patriotes et non pas *bellicistes*, car ce mot, apparu en français, lui, pendant la guerre de 1870, était appliqué à l'ennemi, en l'occurrence le chancelier allemand Bismarck. En 1914, les bellicistes, pour les Français, étaient les Allemands, et les pacifistes français étaient tout simplement des traîtres.

Entre 1914 et 2003, on voit bien que tout est différent. Ainsi, de son point de vue, George Doublevé n'est pas belliciste puisqu'il est déjà en guerre, de par l'action terroriste. Le mot *war* n'est plus synonyme de *guerre*, ni de *Krieg*. Pourtant, non, les sentiments, les attitudes, les réflexes ont tenu bon : pour le gouvernement actuel des États-Unis, les pacifistes sont des lâches et peut-être des traîtres, en tout cas des anti-« Américains », car pour ce puissant pays, un continent n'est pas trop.

La France, vient de dire Jacques Chirac, n'est pas un pays pacifiste. S'adressant à des anglophones, il semble qu'il parle anglais en français, car en anglais, *pacifist* n'a que cette valeur péjorative et hostile. On dira sans ironie que c'est de bonne guerre ; on préférerait que ce fût de bonne paix.

Le pacifisme, pourtant, ce n'est pas la paix à tout prix, l'abandon, la fuite ; c'est un combat. *Pax*, en latin, c'était d'abord un traité, une négociation, non pas un état passif. Les pacifistes sont contre la guerre à tout prix. En revanche, il existe un président partisan visible et déclaré de la guerre à tout prix ; « belliciste », certainement. Ce qui a changé depuis 1914 ? C'est peut-être que les opinions publiques sont devenues pacifistes, contre certains gouvernements.

17 février 2003

Diplomatie

Activités diplomatiques intenses : à New York, à Bruxelles, à Paris, avec les chefs d'État africains, et bien sûr dans tous les pays qui ont des diplomates. La diplomatie évoque aujourd'hui deux notions distinctes : une activité de négociation, de discussions et d'apaisement, c'est-à-dire de recherche de la paix ; et aussi une institution, et l'ensemble des diplomates.

En français, et bien que les discussions politiques entre États, parallèlement aux violences réciproques appelées *guerres*, soient aussi anciennes que l'Histoire, on ne parle de *diplomatie* et de *diplomate* qu'à partir de 1789. Tout se passe comme s'il avait fallu faire disparaître le pouvoir absolu pour discuter entre États. C'est évidemment faux ; reste que l'idée générale d'une activité politique pacifique portant sur les relations internationales apparaît avec la fin du pouvoir absolu. Quant au mot, il succédait à *diplomatique*, l'adjectif de *diplôme*. Ce dernier, qui apparaît en français quatre-vingts ans avant la Révolution, est pris au grec *diploma*, autrement dit « plié en deux », tout simplement parce que les documents officiels comportaient des éléments confidentiels (pour ne pas dire *top secret*) et qu'il valait mieux replier le papier avant de le transmettre. Avant les diplômes que nous connaissons et auxquels aspire la studieuse jeunesse, existaient des chartes, des actes, des bulles papales, des traités, matériel privilégié de la diplomatique, avant la diplomatie. On y ajoutera les *résolutions*, mot qui, dans l'esprit de George W. Bush, est synonyme d'ultimatum, forme ultime de diplomatie – avant la guerre. Il est vrai que l'entourage républicain du président étatsunien estime que la diplomatie est une affaire de lâches et de trouillards, alors que la volonté de guerre est un signe indiscutable de courage et de responsabilité. Les distingués ministres, sénateurs et représentants du parti du président – je parle toujours des États-Unis – de même que les chefs d'état-major et les présidents de la jeune Europe, les virils Tony Blair et José Maria Aznar, par exemple, ont en effet du courage à revendre, à revendre – pas trop cher – aux braves soldats et à envoyer gratis aux civils ennemis.

Vous venez d'avoir le modeste exemple d'un discours antidiplomatique, mais je ne fais que suivre l'exemple du président Chirac, quand il tance et réprimande certains pays de l'Est, mal élevés et qui « perdent des occasions de se taire ». Les diplomates, eux, sont très bien élevés et ne perdent jamais les occasions de parler. Un peu « comme à la radio », chantait Brigitte Fontaine…

19 février 2003

Design

Sans défendre un anglicisme maladroit – et en plus une notion contestée par Philippe Starck lui-même[1] –, on peut expliquer son succès. Pourquoi ce *design* et ce *designer*, difficiles à prononcer, pas évidents à écrire et réticents à la francisation ? Il est vrai que *dessin* et *dessineur* ne vont pas, et que *désigne* fait penser à *désigner*.

En anglais britannique, *design*, c'est tout simplement « dessin ». Cependant, le français a dédoublé, d'après la langue italienne, le verbe latin

1. Le célèbre concepteur d'objets était l'invité du matin, à France Inter.

designare, qui signifiait à la fois « représenter en dessinant » et « marquer d'un signe, montrer ». D'où, en français, deux homonymes : le *dessein*, qui est un objectif, et le *dessin*, art graphique.

Or, le mot *design*, de même origine, exprime tout un programme. À la différence de l'objet artisanal, qui évolue au cours de l'exécution, l'objet industriel doit être entièrement conçu. Le design est à la fois un projet, une conception d'objet – on dit en italien *progettazione* – et une description des formes, des proportions, des matières – en allemand *Gestaltung*. Le mot anglo-américain prenait en charge les deux concepts, ce qui revenait à exprimer de manière simple les idées artistiques et décoratives innovantes du mouvement esthétique appelé *Bauhaus* en Allemagne, en 1925, et repris aux États-Unis par l'architecte Frank Lloyd Wright, en Suisse et en France par Le Corbusier.

Alors que l'expression *industrial design* a été adaptée en italien (*disegno industriale*) et en espagnol, le français *dessin industriel* n'allait pas, étant trop lié à la planche à dessin. Cependant, le dessin-projet dont nous dépendons tous, c'est la nature – *phusis*, qui a donné le mot *physique*. Quand le Petit Prince demande : « Dessine-moi un mouton », il fait une requête artistique, il ne dit pas « crée-moi » ou « conçois-moi » ce mouton, parce que c'est déjà fait par la nature et que seuls un bélier et une brebis savent bien faire ça – à preuve, les piteux résultats des cloneurs avec la pauvre moutonne Dolly…

En revanche, on peut demander à Philippe Starck : « Dessine-moi une lampe, une valise », mais cela voudra dire beaucoup plus et autre chose que dessiner. Comme je répugne à dire *dizaïgner*, j'aimerais mieux : « Invente-moi une lampe, ou une valise, etc. » Car le design est une invention de formes, de couleurs, de matières, aboutissant à un objet que l'industrie peut reproduire. La double référence aux desseins-intentions, qui ne sont pas tous noirs, et au dessin, qui est un tour de magie, est tout de même bien trouvée. Quel diable a eu l'idée de demander à George W. Bush : « Dessine-moi une guerre » ?

24 février 2003

Stratégie

Dans notre discours quotidien, les mots *stratégie* et *tactique* ont tendance à se confondre : on pense à une suite d'actions coordonnées et qui tendent à obtenir un résultat. *Stratégie*, *tactique*, c'est, à peu près, la marche à suivre pour réussir, mais la première est plus ample, plus noble, la tactique plus minutieuse et détaillée.

En fait, les deux mots, qui viennent du vocabulaire militaire, ne sont pas très différents par leur origine, grecque dans les deux cas. Stratégie, c'est la « conduite (*agein* pour "conduire", comme dans *péd-agogie*) de l'armée (*stratos*) ». Le *stratège* athénien, il y a vingt-cinq siècles, était l'un des dix magistrats élus chargés des questions militaires. Quant à la *tactique*, c'est la manière d'arranger, de disposer en bon ordre, d'après l'expression grecque *taktikê tekhnê*, déjà appliquée à la façon de disposer les troupes. La différence originelle, dans ce qu'on appelait l'« art militaire », c'est que la *tactique* organise et dispose, alors que la *stratégie* entraîne. Le premier mot garde un côté technique et statique, alors que la *stratégie* est dynamique et à longue portée. Ces jours-ci, les États-Unis, en disposant les troupes autour de l'Irak, font de la tactique. La stratégie ne commencera que si la guerre éclate, autrement dit, si le gouvernement – on dit à tort l'« administration » – Bush décide de passer à l'action.

Bien entendu, en étendant le sens des mots, chaque gouvernement a sa tactique pour disposer les pions et sa stratégie pour agir. *Tactique* et *stratégie* s'appellent alors politique internationale et parfois diplomatie, ou bien mesures économiques et guerre des médias. Une sorte de répétition avant la violence guerrière, que le plus fort appelle de ses vœux, mais que d'autres, qui n'ont pas un goût particulier pour la vocation de vassal, essaient de freiner.

Chacun sa tactique et sa stratégie : rien n'empêche de parler de tactique d'apaisement et de stratégie de la paix. C'est la remarque, alors très nouvelle, du grand journaliste français Émile de Girardin, qui demandait au XIXe siècle : « Pourquoi la paix n'aurait-elle pas sa stratégie ? » En effet, si la paix ne fait pas la guerre à la guerre, celle-ci l'emporte toujours.

Le problème n'est pas de savoir si l'on recourt à la tactique ou à la stratégie, mais si l'une comme l'autre correspondent à une logique pacifique ou belliqueuse. La stratégie de George W. Bush, ce serait celle de Walt Disney dans *Les Trois Petits Cochons* : le petit cochon efficace, cependant, pratiquait une stratégie défensive. Dans la stratégie de guerre offensive, il n'y a pas un seul grand méchant loup : il y a une collection de loups qui se mordent et dont chacun est le méchant de l'autre.

25 février 2003

Manipulation

Il y a en ce moment, contre l'équipe dirigeante du journal *Le Monde*, deux grands chefs d'accusation : l'abus de pouvoir et la manipulation.

L'abus, c'est simple, c'est un usage excessif, *ab usus*, qui porte sur la capacité d'agir, sur la puissance et l'autonomie de ceux qui dirigent, parfois jusqu'à l'autocratie.

Manipulation, c'est plus compliqué, sinon qu'on y reconnaît le latin *manus*, la *mano* en espagnol, la « main ». C'est la fin du mot qui nargue les étymologistes, qui n'y reconnaissent pas le *pul-* de *pulsion* et d'*impulsion*, ce qui est frustrant. Que fait donc cette main qui semble « puler » ?

Aujourd'hui, elle attrape, elle prend, elle dirige, elle remue les choses et les gens dans le propre intérêt de son possesseur ; on peut dire plus simplement *manier* et *maniement*. *Manipuler* et *manipulation* paraissent à la fois plus subtils et plus pervers. Si on ignore d'où sort *-pulation*, c'est la même perplexité devant le *-gance* de *manigance*, au lieu de l'ancien *maniance*, dérivé tout bête de *manier*.

Manipulation est un mot voyageur, d'abord en Europe : en fait, c'est une notion universelle. En anglais, c'était déjà une *manœuvre* (mot transparent : œuvre, ouvrage de la main), mais une manœuvre cachée, dès le début du XVIIe siècle. Gardons-nous de dire que cela reflète la perfidie d'Albion, car ce sens ne passe en français que plus tard. En espagnol, *manipulación* est un terme d'alchimie, puis de métallurgie, par une suite logique, désignant une manœuvre complexe, mais aussi, alchimie oblige, assez secrète, occulte, réservée aux initiés.

Alors que le mot latin *manipulus* ne désignait que la poignée de céréales prise et serrée par le moissonneur de la main gauche, qui la coupait d'un coup de faucille de la droite, les choses se sont compliquées, mais il y a tout de même là une image redoutable. Je t'attrape de la main gauche, je te coupe (la tête ou autre chose) de la droite : telle serait la manœuvre élémentaire du manipulateur. Efficace, mais pas très raffinée, par rapport aux manipulations du chimiste, du biologiste qui concocte des OGM, ou encore de celles du prestidigitateur, l'homme ou la femme aux doigts prestes et dont les tours sont invisibles. De la manip', on ne voit que le résultat, pas la façon de faire. C'est ce qui lui donne, aujourd'hui, son efficacité. Sujet redoutable, que la manipulation. Peut-on éviter de manipuler, même en dénonçant la manipulation ?

26 février 2003

Consensus

Est-ce l'exception française ? Alors que des manifestants pour la paix se sont manifestés en Italie, en Espagne, en Grande-Bretagne, aux États-Unis mêmes, s'opposant aux positions de leurs gouvernements respectifs, pas forcément respectés, la France, ou du moins sa majorité, manifeste une unité de sentiment.

À l'Assemblée, on peut parler de consensus contre une guerre préventive en Irak, mais ce consensus n'est pas consensuel sur tous les plans. Le recours au veto onusien est discuté.

Consensus, que nous prononçons à la française, est bel et bien un mot latin, dérivé de *consentire*, « être d'un même sentiment ». Il dit beaucoup plus que *consentement*, qui est une adhésion, un ralliement, une acceptation, mais pas une convergence de sentiment. *Consentir* et *consentement*, mots intégrés au vocabulaire français, sont fort anciens et appartiennent au langage courant. Au contraire, *consensus* donne l'exemple d'un mot savant, apparu en physiologie, au début du XIXe siècle. On avait bien essayé d'en tirer un mot français, le *consens*, au XVIe siècle. *Consens*, comme *dépens*, c'était simple, et le *-sus* latin n'apporte rien de plus que celui de *processus* par rapport à *procès*, au sens général, que les anglomaniaques veulent remplacer par *process*, ces temps-ci.

Un consensus était, vers 1830, un accord entre les parties et les fonctions de l'organisme, quelque chose comme la *synergie*, où le *sun* grec équivaut au *cum* latin : « avec, ensemble ». Mot de médecin, *consensus* est passé en sociologie, grâce au père fondateur de cette science, Auguste Comte. Le consensus social était alors très général et ne faisait qu'exprimer un accord sur les grands principes : la démocratie, par exemple, ou la liberté, idées précieuses mais un peu vagues. Le passage du mot à la langue courante s'est fait par la politique qui, d'habitude, exprime plutôt la division, sinon l'affrontement. On s'est mis à parler il y a une quarantaine d'années de *large consensus*, ce qui montre bien qu'il ne s'agit pas d'unanimité, puis de *consensus mou*, ce qui est déplaisant. L'adjectif *consensuel* a suivi, et il y a quelque chose d'aimable, de *convivial*, rimant avec *sensuel*. De là à dire que le consensus parlementaire conduisait à l'embrassade et aux câlins réciproques entre majorité et opposition, il y a un pas que nous hésitons à franchir.

27 février 2003

Issue

Dans la manière de parler des événements – en ce moment, de la guerre en Irak ou des retraites en France –, on souligne les mots et les emplois nouveaux. Beaucoup sont des calques de l'anglais, surtout en politique internationale, car cette langue est la principale source de l'information ; quelques-uns traduisent de l'arabe, bien qu'ils aient l'air très français : j'ai lu hier que l'équivalent arabe du mot *héros*, en Irak, avait été supplanté par celui qu'on traduit par *martyr*.

Ce qui est plus discret, et plus gênant dans le discours, c'est la difficulté à traduire les mots d'origine, par exemple ceux que prennent les dirigeants des États-Unis ou les États-*majors*. On utilise, par exemple, sans faire d'erreur de sens, d'ailleurs, le petit mot *fin* à propos de l'« issue » de la guerre, évoquée dans une déclaration, comme toujours intransigeante, de Donald Rumsfeld. Or, le mot anglais n'était pas *end*, mais *outcome*, qui suggère autre chose qu'une terminaison, autre chose qu'une cessation. La *fin* de la guerre, c'est simplement l'arrêt des combats, des bombardements baptisés *frappes*, des massacres et tueries nommés *affrontements* et des envois de jeunes filles militarisées dans ce que les responsables appellent la *zone hostile*, autrement dit dans les pattes de l'ennemi. La *zone hostile*, c'est la dernière trouvaille, après le *théâtre*, celui des opérations s'entend.

La fin de la guerre, donc, c'est l'arrêt de tout cela, alors que *outcome* c'est ce qui va en sortir (*come out*). Cette fois, c'est la langue anglaise qui dit juste : ce qui va être important, c'est l'après-guerre, les problèmes, les imprévus, les risques de l'après-Saddam… Or, il y a un mot français pour cela, mais un peu désuet, c'est *issue*, qui exprime la manière dont on sort et dont on *se* sort d'une situation, en général difficile. *Sortie* conviendrait aussi, car il n'y a plus de verbe *issir*. Cet ancien mot venait du latin *ex-ire*, « aller dehors ». *Issir*, *issue*, comme *sortir*, *sortie*. Un des emplois les plus vivants du mot *issue*, c'est, de manière pessimiste, l'expression *sans issue*. En fait, le temps ne s'arrêtant jamais, il y a toujours une issue, mais on peut s'en sortir très mal. De fait, la vie finit par une sortie… Parler d'issue de cette guerre, comme l'a fait Rumsfeld, c'est impliquer la continuité d'une politique ; c'est aussi exprimer le désir de se dégager d'une situation qui a tout du piège. *Outcome*, *issue* ; il est normal, quand on a choisi de s'enfermer dans cette prison, la guerre, qu'on évoque la sortie. Sortie de secours, peut-être ?

2 mars 2003

Pétrole

S'il fallait trouver dans la langue française un mot ancien, d'origine claire, mais qui a pris une importance aussi immense qu'inattendue, ce serait, parmi quelques autres, *pétrole*. Apparemment, cette substance grasse, salissante, qui parfois semble sortir du sol et des pierres, n'avait pas fasciné les Latins de l'Antiquité, puisque le mot composé *petroleum* est tardif. *Petra*, « le sol pierreux », et *oleum*, « l'huile », sont deux mots essentiels dans les civilisations méditerranéennes, symboliques de la nature sous son aspect inhospitalier – la pierre – et de la culture. *Oleum*, qui a donné le mot *huile* et n'est autre que le grec *elaion*, l'huile d'olive.

La malheureuse « huile de pierre », inconsommable, noirâtre, visqueuse, ne semblait pas avoir beaucoup d'avenir. Pourtant, l'histoire naturelle, qui se passionne pour les curiosités de ce monde, a éprouvé le besoin de nommer cette substance. En français, on parle déjà de *pétrole* au XIIIe siècle, de *pétroléon* au XVe – assez mignon –, et même, en pseudo-latin, de *petroleum*, mot que la langue anglaise a conservé.

Le pétrole est aujourd'hui la clé de la puissance économique, et donc politique. Par quel tour de magie ? On connaissait depuis longtemps à cette substance une propriété : celle de brûler, et donc éventuellement d'éclairer et de chauffer.

C'est l'histoire des techniques qui a donné sa valeur à ce liquide plutôt répugnant, en le raffinant pour en faire au XIXe siècle un combustible pour l'éclairage. La *lampe à pétrole*, devenue pour nous le symbole d'un passé démodé, un peu ridicule, car elle n'a pas la poésie du feu de bois, n'a pas suffi à donner du pétrole une image très favorable. Quand le français populaire appelait un vin ou une eau-de-vie « pétrole », ce n'était pas un compliment.

C'est la combinaison d'une série d'inventions de chimistes et de physiciens qui a conduit à raffiner le pétrole pour en tirer, sinon la quintessence, du moins l'« essence » de cette substance, et à s'en servir comme combustible dans cette invention géniale, le moteur à combustion interne. Essence et moteur à essence, ce fut, il y a un peu plus d'un siècle, la transmutation d'un liquide gras en *or noir*. Ce fut l'« automobile », ce fut un moteur pour l'aéroplane, l'oiseau mécanique appelé *avion* par Clément Ader. Du coup, le pétrole est devenu un don de la Terre ; les géologues le traquent et le trouvent ; c'est une clé de la géopolitique. Associé au gaz naturel, il est l'objet de l'acharnement économique. Il y a les pays qui en ont et ceux qui en veulent ; plus rares, ceux qui présentent les deux caractères n'en ayant jamais assez ; et puis il y a ceux qui, n'en ayant pas, se consolent en prétendant avoir des idées, denrée universelle mais pas si courante. Le pétrole n'est pas seulement la nourriture de nos moteurs, c'est celle des richesses et des violences, des appétits politiques et des prurits belliqueux. Ma référence favorite, George Doublevé Bûche, pourtant blasé en tant que Texan sur le plan pétrolier, s'en prend, par un de ces hasards bizarres de la politique internationale, à une source pétrolière.

Pourtant, le dieu Pétrole a conservé son aspect gras et visqueux, quand il nous revient pour souiller nos jolies plages. Le prix du progrès, sans doute. Un peu élevé.

3 mars 2003

Crucial

Deux expressions très différentes servent fréquemment à commenter l'actuelle situation internationale. L'une fait allusion à un jeu à la fois très viril et pas très malin – ce qui n'étonnera aucune femme –, le *bras de fer*. L'autre est moins claire : on nous dit que le jour, la semaine ou la prochaine réunion de l'ONU, etc., sont *cruciaux*.

Dans *crucial*, on peut sans grand effort reconnaître la *croix*, ou plutôt le latin *crux*, *crucis*, qui a donné *cruciforme*, *cruciverbiste*, qui correspond aux mots croisés (une auditrice correspondante m'a même signalé l'existence de *crucipuntistes*, passionnés du « point de croix »).

Crucial signifie, on le sait, « décisif », et donc « très important, essentiel ». On peut se demander pourquoi. La croix nous fait penser à deux choses : une forme élémentaire, faite de deux traits formant un angle, souvent droit. La même forme, utilisée par les Romains comme gibet, et devenue, par son utilisation pour supplicier Jésus, le grand symbole chrétien. De là tous les mots de la passion du Christ, *crucifier*, *crucifix*, et l'emblème de la conviction chrétienne, jusqu'aux fameuses *croisades*, chères au cœur du président Bush, et qui furent les expéditions militaires des forces chrétiennes contre l'Islam. Ce n'était pas la manière la plus diplomatique de désigner une guerre censée désarmer un infime dictateur, objectif qui n'eût pas mobilisé les va-t-en-guerre du XIe siècle.

Pourtant, la situation *cruciale*, à l'ONU et ailleurs, n'a rien à voir avec les croisades, ni d'ailleurs avec les casse-tête subtils des mots croisés. L'adjectif *crucial* s'appliquait à la forme en croix : les chirurgiens pratiquent des incisions cruciales, version correcte de la fameuse « croix des vaches », balafre infligée aux traîtres. Mais cela n'a rien à voir avec l'aspect décisif de *crucial*. Celui-ci vient d'une expression latine du philosophe anglais Francis Bacon, au début du XVIIe siècle : *instantia crucis*, « l'épreuve de la croix » (Newton parlera d'« expérience cruciale »). Il s'agissait, devant deux explications possibles d'un phénomène naturel, d'en écarter une par une suite de critères, comme on écarte la mauvaise direction à un carrefour, la croix indiquant une bifurcation.

C'était le début de la méthode scientifique moderne. Appliquée à la décision du Conseil de sécurité, la bifurcation est entre une décision positive pour l'ultimatum anglo-saxon, feu vert pour la guerre, et une décision négative, par vote majoritaire ou par veto, autre croix. Chacun la brandit, sa croix. Pour Jacques Chirac, elle serait plutôt lorraine.

Dira-t-on pour autant que le gouvernement Bush, qui se dit très déçu par l'attitude franco-germano-russe, « porte sa croix » ? Étant donné l'inspiration cruciale du président étatsunien, on ne le sent pas particulièrement crucifié. Tant il est vrai, comme le rappelait Voltaire, que Dieu est obstinément pour les gros bataillons. Voilà une réalité cruciale.

11 mars 2003

Autorisation

Ainsi, le Parlement britannique vient d'autoriser Tony Blair à guerroyer, ou plutôt à donner à l'armée du Royaume-Uni l'ordre de partir en guerre aux côtés des Étatsuniens. En français, *autoriser* suppose une hiérarchie dans laquelle c'est le supérieur qui laisse faire quelque chose à l'inférieur. Le chef, c'est donc le Parlement, ce qui indique un régime démocratique. Pourtant, on nous dit que l'opinion britannique n'aurait pas donné cette autorisation, mais on sait que les représentants du peuple ne sont pas le peuple. Les démissions de ministres travaillistes, cependant, et cent quarante-neuf refus d'autorisation, minorité importante, ont marqué les hésitations.

Autoriser et *autorisation* correspondent à l'idée de « laisser agir selon ses convictions », mais aussi rappellent qu'on a le pouvoir d'interdire. Pourtant, ce sont les gouvernants qui ont l'autorité et non pas l'opinion, alors qu'en démocratie, celle-ci est censée refléter le pouvoir du peuple. Lorsque Colin Powell déclare qu'un grand nombre d'États – nombre étonnant d'ailleurs – suivent les États-Unis, il veut légitimer l'action guerrière, mais il ne parle pas des opinions publiques de ces États, alors que la référence idéologique de George Doublevé, outre l'inspiration divine, c'est, dit-il, la démocratie. Mais, on vient de le dire, les opinions publiques sont changeantes, comme l'a mille fois montré un certain William Shakespeare.

Tout cela montre que l'autorité, source de toute autorisation, démocratie ou pas, réside dans le pouvoir politique, pas dans le peuple souverain théorique. L'histoire du mot *autorité* témoigne de cette ambiguïté. En latin, *auctoritas* et *auctorizare*, « autorité » et « autoriser », sont dérivés de *auctor*, qui a donné *auteur*.

Et justement, *auctor*, en latin, n'était pas un mot très franc du collier ; c'était l'auteur d'une action, le responsable, mais aussi le possesseur, le vendeur, le garant, ce qui fait qu'*autoriser*, à l'origine, c'est d'abord confirmer et garantir, puis à la fois approuver et certifier, non pas permettre, comme aujourd'hui.

Qu'est-ce qui autorise un chef d'État, un gouvernement à agir de telle façon ? Même si l'autorisation formelle est accordée, selon les règles du jeu politique, comme cela s'est passé aux États-Unis et en Grande-Bretagne, d'où procède la véritable autorité ? Les mots répondent. Elle procède de la possession du pouvoir, de la garantie qu'on ne sera pas empêché. Quant à la légitimité de ce pouvoir d'agir, elle ne peut s'exprimer que par de tout autres mots qu'*autorité* ou *puissance*, et qui seraient *loi*, *droit*, *norme*. On ne les entend que chez les adversaires de cette guerre, et ce n'est pas un hasard. Nous attendons vainement qu'un pouvoir *autorise* la paix, non la guerre.

17 mars 2003

Vérité

Aujourd'hui, selon le président républicain le plus ultra nationaliste des États-Unis d'Amérique, c'est le moment, le jour, l'instant. Le moment de quoi, de qui ? De vérité. Ouf ! Nous sortons donc de l'universel mensonge, par la volonté de quelques dirigeants de l'un des deux principaux partis d'un pays qui, par ailleurs mais non par hasard, se trouve être le plus puissant du monde.

Pour ces responsables, qui se foutent éperdument de ce Sicilien, Pirandello, qui a eu le culot d'intituler une pièce de théâtre célèbre dans le monde entier *Chacun sa vérité*, il n'y en a qu'une, de vérité, la leur.

En bon français et, on le suppose, en bon anglais, avec le mot *truth*, le moment de vérité (*moment of truth*), c'est celui où on prend une décision importante. *Decision*, en anglais dans le texte, c'est justement le mot employé par George W. Blair – pardon, c'est Tony – d'une voix martiale et un peu trop aiguë, m'a-t-il semblé, pour ne pas traduire quelque angoisse.

En espagnol, langue du discret José Maria Aznar, troisième baron – je n'ai pas dit larron –

de la réunion des Açores, on dit *terreno de verdad* pour désigner l'arène où le matador, ce qui signifie « le tueur », affronte le taureau. Henry de Montherlant écrivait à ce sujet que sur le sable de cette arène, « là, on ne peut plus raconter d'histoires ». *Verdad*, *vérité*, ce sont les suites normales du latin *veritas*, de *verus*, « authentique, réel ». Donc, d'un côté, la vérité, le sable, le pouvoir de détruire, bientôt la guerre. De l'autre, raconter des histoires. Lorsqu'on annonce que la réunion des Açores est une dernière chance accordée à la paix, de quel côté est-on, à votre avis ?

La vérité de George Bush, celle du très discret Dick Cheney, celle de leurs porte-parole, sont faites de convictions pures, d'histoires bibliquement simples où, Caïn ayant tué Abel, il faut le punir. Une partie de cette vérité est incontestée : Saddam Hussein est un tyran cruel et dangereux ; une autre relève de l'opinion, de la conviction et de la prophétie. Par exemple, l'Irak menace le monde et il est responsable des immondes attentats du 11 septembre.

La vérité de George Doublevé Bush (pour le distinguer de George Bush père, à la demande expresse de Dominique Bromberger) s'exprime pourtant sur un mode impersonnel, pas sur celui des sentiments humains : au hasard indignation, colère, souci de l'autre. Le voyant parler maintes fois sur votre petit écran, avez-vous décelé, accompagnant des paroles constantes, convenues, répétitives, une expression personnelle, une lueur dans l'œil ? Pas moi.

La vérité de George Walker, serait-ce l'image crispée d'un visage en prière, qui communique, pense-t-il, avec Dieu et, à nos yeux, avec lui-même ? La vérité, laquelle, quand on dit à quelqu'un ses quatre vérités ? Quatre ? Il en faudrait beaucoup plus. Il ne faut pas demander au président de dire : « Eh, la vérité, mon frère, la vérité si je mens ! »

18 mars 2003

Missile

Parmi les applications techniques les plus spectaculaires de la science, il y a évidemment les armes de guerre. Nous vivons dans un monde où les connaissances théoriques les plus désintéressées aboutissent à de l'argent et à de la destruction. Le langage lui-même est obligé de suivre : le vocabulaire des armes et de leur utilisation a fait un bond en avant pendant et après la guerre de 1940-1945. La technique et les sciences aussi.

Un exemple du passage de l'activité innocente au pouvoir de nuire : le mot *missile*. Le français et d'autres langues l'ont pris à l'anglais, qui l'avait emprunté au latin *missile*, au XVIe siècle. Le vocable n'était pas un inconnu en français, où l'on a parlé d'*armes missiles* ; mais il avait disparu. Pour le sens, ce mot ne précise ni la nature de l'arme, ni sa manière de voler vers l'objectif, ni ses effets. Il ne dit rien de plus que *projectile*, mais ce dernier reste lié à *projection* et donc à *projeter*. *Projectile* est clair : c'est un objet, naturel et simple – une pierre – ou bien technique et complexe, qui peut être jeté, projeté, de manière à faire mal. De même, *missile*, en latin, c'est ce qu'on peut lancer, ce qui se disait *mittere*, verbe qui a changé de sens plus tard, de manière à donner notre verbe *mettre*. Aujourd'hui, *missile*, ni en anglais ni en français, n'a plus de répondant dans la langue, à la différence de *projectile*. Pour nos ancêtres du XVe siècle qui, lorsqu'ils étaient lettrés, savaient le latin, une pierre, un javelot, une flèche étaient clairement « missiles » car on pouvait les lancer. On remarquera que, s'agissant d'envoyer en l'air un objet, *projectile* et *missile* n'ont pas désigné des fleurs ni des confettis. L'agressivité humaine est une triste tradition…

Aujourd'hui, *missile*, c'est propulsion par fusée, autoguidage, tête chercheuse, charge destructrice, parfois atomique, ou même chimique quand ce n'est pas bactériologique. Un catalogue de progrès et d'horreurs. Le plus grand détenteur de missiles au monde, les États-Unis, projette d'en envoyer un certain nombre sur un pays déjà écrasé par un dictateur, faute de tête assez chercheuse pour poursuivre et tuer le méchant, en effet très nuisible, de l'avis quasi unanime. Pour sauver sa situation de tyran militaire, Saddam Hussein promet aujourd'hui de détruire ses missiles puissants, car l'ONU a autorisé l'armée irakienne à lancer pour tuer jusqu'à une distance modeste. Un peu comme si les assassins qui opéraient à moins de dix mètres en avaient le droit... Tout cela fait frémir. Devant un progrès technique qui détruit le droit, devant le mensonge et la ruse, devant la rage d'utiliser les armes pour le bien de l'humanité, côté axe du Bien, il y a des moments où on aimerait, en fait de missile, revenir au lance-pierre.

21 mars 2003

Désinformation

Lorsqu'un mot nouveau est senti comme utile, il réussit, bien qu'il soit mal formé. C'est le cas de *désinformation*, qui a suivi, il y a cinquante ans, la fortune exceptionnelle du mot *information*, lui-même ancien, mais renouvelé, notamment à la télévision.

Par sa constitution, *désinformation*, comme *sur-* ou *sous-information* (et les verbes qui vont avec), n'a rien d'anormal. C'est le sens qui cloche : ce qu'on voulait exprimer, c'était la transmission de faux renseignements destinée à influencer l'opinion. L'Académie française, qui se penchait sur ce mot nouveau en 1960, y voyait une manœuvre politique destinée – je cite – « à induire un adversaire en erreur ou à favoriser chez lui la subversion dans le dessein de l'affaiblir ». Interprétation musclée, qui assimile l'action médiatique désinformante à une véritable manipulation propagandiste. Le contexte politique était d'ailleurs explicite, dans le premier exemple du dictionnaire académique (9e édition, 1984), où on lit : « Le concept et les méthodes de la désinformation sont apparus en Russie soviétique dans le milieu du XXe siècle. » On aurait pensé naïvement que tous les pouvoirs politiques ou presque avaient pratiqué cette action, dans l'Histoire, mais il est vrai que les méthodes de la communication de masse, depuis un demi-siècle, ont donné à cette « désinformation », comme à l'information elle-même, d'ailleurs, une dimension nouvelle.

Les académiciens, tout en définissant avec pertinence la désinformation médiatique, ne notaient pas que ce mot qui exprime la tromperie est lui-même trompeur. Normalement, de même que *désillusionner*, c'est « priver de ses illusions », *désinformer* devrait signifier : « priver d'informations » ou, du moins, en diminuer la dose, ce qui pourrait avoir un côté reposant. Or, la désinformation est en réalité un excès, un ensemble d'infos inexactes, mensongères, truquées ou simplement orientées, en tout cas de nature à égarer l'opinion. Ce n'est pas une privation, au contraire, c'est une *mésinformation*, comme une *mésaventure* est une mauvaise aventure ou bien une *mal*information. Mais on dit *dés*information ; tant pis. Pas d'information sans désinformation. La désinformation commence donc par de l'information inexacte, douteuse, non vérifiée ou, pis, diffusée pour sa fausseté même. En matière d'information, la vérité compte moins que l'impact ; les faits ne sont qu'une matière première, transformée en mots – transmis par la radio ou l'imprimerie – et en images que l'on projette sur les écrans de télé du monde entier. Ces mots et ces images sont des leviers sur l'opinion ; c'est aussi de l'argent, un sacré commerce. Dans ces conditions, il faut de la vertu pour sauvegarder la sincérité et savoir dire « peut-être » ou même « on ne sait pas ».

26 mars 2003

Sécuriser

Dans le discours occidental sur cette guerre, la principale source demeure les Anglo-Saxons : il est en effet plus facile de laisser passer en français, en italien ou en allemand des mots et des emplois anglo-américains que de traduire directement d'une source, l'arabe par exemple. À raison de dix occurrences toutes les cinq minutes, on entend dire qu'une route, un faubourg de ville, un secteur… sont sécurisés. Ce verbe n'est pas nouveau, mais il ne s'employait, depuis une quarantaine d'années, qu'en psychologie : une situation *sécurisante*, c'est-à-dire apaisante, agit en calmant, en donnant à quelqu'un un sentiment de sécurité. Puis vint un autre emprunt à l'anglo-américain ; on commença à parler, en matière bancaire, d'un *paiement sécurisé*, et, en informatique, de *sécuriser* une opération. À mesure qu'augmentait l'insécurité, les dérivés du mot *sécurité* prenaient des sens nouveaux : voyez le succès de l'adjectif *sécuritaire*, succès quantitatif, parce que la politique qu'il décrit entraîne certains excès. Dans l'Irak en guerre, les opérations ont pour objectif de s'*assurer* du terrain. *Assurer* vient de *sûr*, et serait plus normal que *sécuriser*. *To secure*, verbe usuel en anglais, se traduit par « assurer, protéger, garantir », ou bien « obtenir » ; le sens est bien plus large que celui de *sécurité* : *to secure* exprime la maîtrise, le contrôle. L'illogisme de ce *sécuriser* est remarquable : c'est un mot parfaitement unilatéral : dans un espace ou une ville sécurisé(e), ce n'est pas la sécurité qui règne, c'est la protection des troupes, le contrôle des lieux, une forme de succès militaire. On ne s'arrête pas aux conditions : annihilation ou fuite de l'ennemi. Rien de plus sécurisé qu'un immeuble ou un quartier détruit ; il est vrai qu'un ennemi tué, fait prisonnier ou en fuite est nettement moins dangereux. Cela fait penser au célèbre slogan du général Custer : « Un bon Indien est un Indien mort. » L'Irakien sécurisé n'est pas enviable. *Sécuriser* n'est pas seulement un anglicisme – on en voit d'autres –, c'est un euphémisme guerrier, à la manière de la *pacification*, de sinistre mémoire. Attaquez, bombardez, tuez, tout va bien, c'est pour sécuriser vos troupes. Mais ces troupes, messieurs les gouvernants et généraux, qui les a mises en état d'insécurité ? Le mirage de la sécurité dans la guerre ne résiste même pas aux fameux « tirs amis ». Quant à celle des Irakiens, n'en parlons pas. Protégez-nous des sécuriseurs…

27 mars 2003

Domino

Ce n'est pas un jeu calme, dont Gérard de Nerval disait qu'il était exceptionnellement silencieux et méditatif, que je voudrais évoquer, mais la *théorie des dominos*. On se souvient que le gouvernement des États-Unis l'évoquait peu avant de déclencher la guerre, à propos de la contagion démocratique qui allait saisir le monde arabo-islamique dès que l'Irak, grâce à l'action armée des GI sauveurs, serait entré dans le Paradis de l'axe du Bien.

La « théorie des dominos », c'est une expression venue de l'anglais des États-Unis, pour désigner la chute d'une série de dominos rangés verticalement, lorsqu'on fait pencher le premier. Idée rassurante pour les tacticiens et les stratèges, à qui on expliquait qu'une action militaire bien choisie suffisait à faire pencher tout l'entourage géopolitique dans le sens souhaité. Ce qui ramenait les affaires humaines à des processus bien mécaniques, bien réguliers, bien inhumains, en somme.

Pas idiote, quand même, la théorie en question, mais pas si simple. Car les dominos peuvent pencher dans deux directions opposées. En ce moment, la guerre irakienne, loin de faire pencher une partie « sensible » du monde vers l'idéal nord-américain, déclenche des dominos extrémistes, pousse les pays musulmans avoisinants vers la réaction violente, alimente les tentations terroristes et suicidaires, donne des arguments à la haine. Si on considère l'Irak de Saddam Hussein, et le dictateur lui-même, comme un domino à faire choir pour en entraîner d'autres, la coalition anglo-saxonne et ses formidables frappes sont arrivées à ce prodige : renforcer – provisoirement, sans doute – le domino de départ et faire pencher les autres non vers la démocratie, mais vers la logique du *djihad*, qui est un effort suprême en forme de guerre. Qui a donné l'exemple ?

Mais je manque à mes devoirs envers les mots. *Domino* : le rectangle noir marqué de points blancs servant à jouer apparaît au XVIIIe siècle ; il semble devoir son nom au capuchon noir du bal masqué à la vénitienne, lui-même inspiré par le manteau noir à capuchon de certains moines. En revêtant ce manteau, le religieux prononçait ces mots : « bénissons le Seigneur », *benedicamus domino*, en latin. On croirait entendre George Doublevé, ce qui ne confirme pas cette étymologie un peu tirée par la capuche. Mais il est vrai que le moineau, le brave piaf, est nommé d'après le moine. Quant à nos dominos théoriques, c'est l'imagination des tacticiens de la guerre froide qui a utilisé un jeu de hasard mathématique comme illustration d'une sorte de réaction en chaîne. Ces grands esprits avaient, semble-t-il, oublié qu'il ne suffit pas d'invoquer le Seigneur pour arriver à ses fins : *benedicamus domino*, ou *Allah u Akbar* ?

1er avril 2003

Remerciements

Je remercie, parmi tous ceux qui m'ont guidé ou soutenu au fil des années : Patricia Martin, Jean-Luc Hess, Claude Villers, Pierre Bouteiller et le président Jean-Marie Cavada, ainsi que Danièle Morvan dont les conseils et critiques m'ont été précieux.

Table

2000

2001

2002

2003

DU MÊME AUTEUR

AUX ÉDITIONS DES DICTIONNAIRES LE ROBERT
(direction d'ouvrages collectifs)

Dictionnaire des expressions et locutions
(en collaboration avec Sophie Chantreau)
« Les Usuels du Robert », 1979
2e édition, 1993 ; nouvelles éditions : 1997 et 2006

Le Grand Robert de la langue française
9 volumes, 2e édition, 1985

Le Micro-Robert plus :
langue française, noms propres, chronologie, cartes
dirigé par Alain Rey, 1988

Le Petit Robert
(en collaboration avec Josette Rey-Debove et H. Cottez)
2e édition, 1997

Le Nouveau Petit Robert
dirigé par Josette Rey-Debove et Alain Rey
1993, nouvelles éditions : 1997, 2002 et 2005, 2006, 2008

Dictionnaire encyclopédique des noms propres
2008
(1re édition : Le Petit Robert 2, 1974)

Dictionnaire historique de la langue française
1994, 1998, 2000, 2006

Le Grand Robert de la langue française
dirigé par Alain Rey, 2001

Dictionnaire culturel en langue française
dir. Alain Rey, Danièle Morvan, 2005

Le Robert micro :
dictionnaire d'apprentissage de la langue française
dirigé par Alain Rey, 2006
et poche, 2006

Le Petit Robert de la langue française
dirigé par Alain Rey et Josette Rey-Debove, 2006

CHEZ D'AUTRES ÉDITEURS

Littré, l'humaniste et les mots
Gallimard, « Les Essais », 1970 ; rééd. 2008

Théories du signe et du sens
Klincksieck, (tome 1) 1973, (tome 2) 1976

Le Lexique : images et modèles
Armand Colin, 1977 ; rééd. 2008 :
De l'artisanat du dictionnaire à une science du mot.

Les Spectres de la bande, essai sur la BD
Éditions de Minuit, « Critique », 1978

La Lexicologie. Lectures.
Klincksieck, 1980

La Terminologie, noms et notions
PUF, « Que sais-je ? », 2e édition, 1992

Encyclopédies et Dictionnaires
PUF, « Que sais-je ? », 1982

Révolution : histoire d'un mot
Gallimard, « Bibliothèques des histoires », 1989

Le Réveille-mots
Seuil, « Points-Virgule », n° 173

Des mots magiques
Desclée de Brouwer, « Petite collection clé », 2003

À mots découverts,
Robert Laffont, 2006

Antoine Furetière :
un précurseur des Lumières sous Louis XIV
Fayard, 2006

Mille ans de langue française : histoire d'une passion
(en collaboration avec Frédéric Duval et Gilles Siouffi)
Perrin, 2007

Miroirs du monde :
brève histoire mondiale des encyclopédies
Fayard, 2007

L'amour du français :
centre les puristes et autres censeurs de langage
Denoël, 2007

RÉALISATION : NORD COMPO À VILLENEUVE-D'ASCQ
IMPRESSION : BRODARD ET TAUPIN À LA FLÈCHE
DÉPÔT LÉGAL : OCTOBRE 2007 N° 96280 (43819)
IMPRMÉ EN FRANCE

DANS LA MÊME COLLECTION

« UN AVANT-GOÛT DE… »

Motamorphoses
À chaque mot son histoire
Daniel Brandy

Dans une langue élégante et drôle, Daniel Brandy relève ici un véritable défi : rendre à la fois savoureuse et accessible l'histoire des mots tout en gardant la plus extrême rigueur. De courts chapitres pour comprendre les origines, l'évolution et les avatars des mots de tous les jours.

Points n°P1544

Que faire des crétins ?
Les Perles du grand Larousse
Pierre Larousse
Présentation de Pierre Enckell

Commentaires absurdes, prises de position totalement subjectives, préjugés sexistes ou racistes, aberrations « scientifiques »… Pierre Enckell, lexicographe obsédé, traque les fautes commises ou admises par Pierre Larousse lui-même et donne à lire ces définitions, dont la lecture aujourd'hui est consternante… ou hilarante. Pierre Desproges n'aurait pas fait mieux.

Points n°P1543

L'Habit ne fait pas le moine
Petite histoire des expressions
Gilles Henry

Dans la lignée d'un Claude Duneton, sous forme d'un dictionnaire aux articles concis et clairs, et avec la précision de l'historien, ce livre propose de remonter aux sources historiques et étymologiques des expressions imagées et d'en éclairer le sens. Une invitation au voyage dans les images de la langue française…

Points n°P1545

Petit fictionnaire illustré
Les Mots qui manquent au dico
Alain Finkielkraut

Pourquoi ne pas renouveler la langue française ? Sous la forme d'un petit recueil de néologismes et de mots-valises, voici un dictionnaire d'un nouveau genre. Autour de définitions hilarantes, farfelues et pourtant d'une logique sans faille, Alain Finkielkraut joue avec les mots et nous fait partager son goût pour la poésie, l'humour et la philosophie.

Points n°P1546

Le Pluriel de bric-à-brac
Et autres difficultés de la langue française
Irène Nouailhac

Voici recensées en un seul volume les principales embûches et chausse-trappes de la langue française dans lesquelles tombent les plus habiles d'entre nous. Orthographe trompeuse, syntaxe chahutée, prononciation difficile, pluriels irréguliers, pléonasmes à éviter, etc. Toutes les réponses aux questions que l'on se pose dans l'usage courant de la langue.

Inédit, Points n°P1547

Un bouquin n'est pas un livre

Les Nuances des synonymes

Rémi Bertrand

Timide ou réservé, vélo ou bicyclette ? Quelle est la nuance ? Un dictionnaire des synonymes se contenterait de juxtaposer ces mots en proposant de remplacer l'un par l'autre. Mais l'art de la nuance, c'est faire jouer la langue dans ses plus fins rouages, lui permettre d'exprimer toute sa richesse et sa subtilité. Au travers de textes courts et de mots choisis, Rémi Bertrand invite à rendre leurs différences aux synonymes.

Inédit, Points n°P1548

Le Dico des mots croisés

8000 définitions pour devenir imbattable

Michel Laclos

Entre poésie et jeu de l'esprit, les définitions retorses du célèbre cruciverbiste Michel Laclos invitent au charme raffiné de la torture de méninges… Pour prolonger le plaisir qu'offrent ses grilles « savantes et limpides, vicelardes et réjouissantes, instructives et rigolardes » (Remo Forlani), voici un livre ludique qui permet de s'exercer, en cachant les mots à deviner, grâce au marque-page encarté dans le livre. À vos définitions !

Points n°P1575

Les deux font la paire

Les Couples célèbres dans la langue française

Patrice Louis

Sodome et Gomorrhe, Castor et Pollux, Bonnie & Clyde, Lagarde et Michard ou Moët et Chandon… Autant de duos inséparables qui surgissent tour à tour dans nos conversations.

Quelle est l'origine de ces associations ? Remontant aux sources des mots, Patrice Louis nous livre ici, entre érudition et sourire, un vrai petit manuel de culture générale...

Points n°P1576

C'est la cata !

Le Petit Manuel du français maltraité

Pierre Bénard

Finies la cordialité, la chaleur : place à la « convivialité » tous azimuts... On ne contrôle plus, on ne gouverne plus : on « gère ». Pierre Bénard a réuni ici ses chroniques parues dans la rubrique du *Figaro* « Le bon français ». Des billets d'humeur qui sont autant d'invitations à refuser toutes les facilités auxquelles nous nous laissons aller dans l'usage courant de la langue...

Points n°P1577

Chihuahua, zébu et Cie

L'Étonnante Histoire des noms d'animaux

Henriette Walter et Pierre Avenas

Savez-vous que le loup a laissé sa griffe sous les termes Louvres, lycée et lupanar ? Pourquoi le hot-dog porte-t-il un nom si étrange ? Et qui se cache derrière le mot vaccin ? Quinze chapitres savants et malicieux fourmillant d'illustrations et d'anecdotes débusquent les traces de nos animaux familiers au détour des conversations et des langues...

Points n°P1616

Les Chaussettes de l'archiduchesse

Et autre défis de la prononciation

Julos Beaucarne et Pierre Jaskarzec

« Seize jacinthes sèchent dans seize sachets secs. » Dans ce recueil, les « virelangues » virevoltent entre sages comptines et allitérations coquines, grande poésie et mots d'esprit. Un petit inventaire délicieusement cacophonique des « phrases à délier la langue » chères à Devos, Gainsbourg, Racine, Ferré et à de nombreux autres amoureux anonymes de la langue et de ses défis.

Points n°P1617

My rendez-vous with a femme fatale

Les Mots français dans les langues étrangères

Franck Resplandy

« ETUI (allemand, familier) : *petit lit étroit pour une personne.* »
Avec humour et précision, Franck Resplandy retrace les itinéraires d'un grand nombre d'expressions et de mots d'origine française à travers le monde. À l'étranger, ils ont changé de sens, ou conservé un usage depuis longtemps disparu en France. Un recueil riche d'enseignements sur l'histoire et sur l'image de notre culture à l'étranger.

Points n°P1618

La Comtesse de Pimbêche

Et autres étymologies curieuses

Pierre Larousse

Qu'il soit le fruit d'une anecdote ou le fantôme d'une personne oubliée, chaque mot de ce dictionnaire ludique et instructif vous révélera son secret et son étymologie… comme cette comtesse de Pimbêche qui, à cause de Racine et de sa comédie des *Plaideurs*, a vu son nom transformé en emblème de femme acariâtre et précieuse !

Points n°P1675

Les Mots qui me font rire
Et autres facéties de la langue française
Jean-Loup Chiflet

Passionné par les incongruités de la langue française, Jean-Loup Chiflet la revisite avec la drôlerie qui a fait sa renommée. Mots « impossibles à prononcer », mots « menteurs », mots « à dictée », mots « mal mariés » ou encore mots « qui rétrécissent à l'usage », autant de variations malicieuses sur les bizarreries de notre langue qui réjouiront tous les amateurs de bons mots.

Points n°P1676

Les Carottes sont jetées
Quand les expressions perdent la boule
Olivier Marchon

Vous est-il déjà arrivé de vous prendre les pinceaux dans le tapis, de vous crêper le chiffonnier, de vous arracher les cheveux contre le mur, bref, de mélanger les expressions ? Olivier Marchon s'en amuse et se livre à une véritable arithmétique de la langue pour débusquer les inventions les plus fantaisistes. Un exercice ludique, créatif et tout simplement hilarant : vous ne saurez plus sur quel pied donner de la tête !

Points n°P1677

Les Grands Mots du professeur Rollin
Panacée, ribouldingue et autres mots à sauver
François Rollin

Le célèbre professeur Rollin se lance dans une entreprise des plus importantes : le sauvetage des mots, car il en va des mots comme des espèces, il faut les protéger d'une extinction programmée. Heureusement, le professeur Rollin veille. Sans lui, qui saurait encore ce que « ratiociner » veut dire ? Et qui peut se dispenser de connaître le « gongorisme » et le « nycthémère » ?… Un lexique délicieusement drôle et érudit à parcourir sans modération.

Points n°P1751

Dans les bras de Morphée

Histoire des expressions nées de la mythologie

Isabelle Korda

Connaît-on vraiment l'origine des expressions telles que « toucher le pactole », « tomber dans les bras de Morphée », « s'endormir sur ses lauriers »… ? Si leur emploi est fréquent, rares sont ceux qui connaissent les épisodes de la mythologie qui leur ont donné naissance. Isabelle Korda s'emploie, avec humour et intelligence, à combler cette lacune. Racontant les mille et une aventures des dieux et héros antiques (grecs et romains), elle nous plonge dans une culture qui a profondément marqué la langue française et nous livre un récit des origines instructif et distrayant.

Inédit, Points n°P 1752

Parlez-vous la langue de bois ?

Petit traité de manipulation à l'usage des innocents

Martine Chosson

La langue de bois se cache partout dans notre belle langue française, pas seulement dans le discours de nos hommes politiques ! Déguisement inconscient ou volontaire, elle pare nombre d'expressions, cherchant à amoindrir des effets douloureux, à contourner le tabou… ou à faire rire plus encore. Martine Chosson s'amuse à traquer le double langage dans tous ses états, s'appuyant sur nos auteurs sérieux ou décadents, des plus téméraires aux plus timides.

Inédit, Points n°P 1753

Collection Points

DERNIERS TITRES PARUS

P1563. Rituels sanglants, *Craig Russell*
P1564. Les Écorchés, *Peter Moore Smith*
P1565. Le Crépuscule des géants. Les Enfants de l'Atlantide III
Bernard Simonay
P1566. Aara. Aradia I, *Tanith Lee*
P1567. Les Guerres de fer. Les Monarchies divines III
Paul Kearney
P1568. La Rose pourpre et le Lys, tome 1, *Michel Faber*
P1569. La Rose pourpre et le Lys, tome 2, *Michel Faber*
P1570. Sarnia, *G. B. Edwards*
P1571. Saint-Cyr/La Maison d'Esther, *Yves Dangerfield*
P1572. Renverse du souffle, *Paul Celan*
P1573. Pour un tombeau d'Anatole, *Stéphane Mallarmé*
P1574. 95 poèmes, *E. E. Cummings*
P1575. Le Dico des mots croisés.
8 000 définitions pour devenir imbattable, *Michel Laclos*
P1576. Les deux font la paire.
Les couples célèbres dans la langue française
Patrice Louis
P1577. C'est la cata. Petit manuel du français maltraité
Pierre Bénard
P1578. L'Avortement, *Richard Brautigan*
P1579. Les Braban, *Patrick Besson*
P1580. Le Sac à main, *Marie Desplechin*
P1581. Nouvelles du monde entier, *Vincent Ravalec*
P1582. Le Sens de l'arnaque, *James Swain*
P1583. L'Automne à Cuba, *Leonardo Padura*
P1584. Le Glaive et la Flamme. La Saga du Roi Dragon III
Stephen Lawhead
P1585. La Belle Arcane. La Malerune III
Michel Robert et Pierre Grimbert
P1586. Femme en costume de bataille, *Antonio Benitez-Rojo*
P1587. Le Cavalier de l'Olympe. Le Châtiment des Dieux II
François Rachline
P1588. Le Pas de l'ourse, *Douglas Glover*
P1589. Lignes de fond, *Neil Jordan*
P1590. Monsieur Butterfly, *Howard Buten*
P1591. Parfois je ris tout seul, *Jean-Paul Dubois*
P1592. Sang impur, *Hugo Hamilton*
P1593. Le Musée de la sirène, *Cypora Petitjean-Cerf*
P1594. Histoire de la gauche caviar, *Laurent Joffrin*

P1595. Les Enfants de chœur (Little Children), *Tom Perrotta*
P1596. Les Femmes politiques, *Laure Adler*
P1597. La Preuve par le sang, *Jonathan Kellerman*
P1598. La Femme en vert, *Arnaldur Indridason*
P1599. Le Che s'est suicidé, *Petros Markaris*
P1600. Les Nouvelles Enquêtes du juge Ti, vol. 3
Le Palais des courtisanes, *Frédéric Lenormand*
P1601. Trahie, *Karin Alvtegen*
P1602. Les Requins de Trieste, *Veit Heinichen*
P1603. Pour adultes seulement, *Philip Le Roy*
P1604. Offre publique d'assassinat, *Stephen W. Frey*
P1605. L'Heure du châtiment, *Eileen Dreyer*
P1606. Aden, Anne-Marie Garat
P1607. Histoire secrète du Mossad, *Gordon Thomas*
P1608. La Guerre du paradis. Le Chant d'Albion I
Stephen Lawhead
P1609. La Terre des Morts. Les Enfants de l'Atlantide IV
Bernard Simonay
P1610. Thenser. Aradia II, *Tanith Lee*
P1611. Le Petit Livre des gros câlins, *Kathleen Keating*
P1612. Un soir de décembre, *Delphine de Vigan*
P1613. L'Amour foudre, *Henri Gougaud*
P1614. Chaque jour est un adieu
suivi de Un jeune homme est passé
Alain Rémond
P1615. Clair-obscur, *Jean Cocteau*
P1616. Chihuahua, zébu et Cie.
L'étonnante histoire des noms d'animaux
Henriette Walter et Pierre Avenas
P1617. Les Chaussettes de l'archiduchesse et autres défis
de la prononciation
Julos Beaucarne et Pierre Jaskarzec
P1618. My rendez-vous with a femme fatale.
Les mots français dans les langues étrangères
Franck Resplandy
P1619. Seulement l'amour, *Philippe Ségur*
P1620. La Jeune Fille et la Mère, *Leïla Marouane*
P1621. L'Increvable Monsieur Schneck, *Colombe Schneck*
P1622. Les Douze Abbés de Challant, *Laura Mancinelli*
P1623. Un monde vacillant, *Cynthia Ozick*
P1624. Les Jouets vivants, *Jean-Yves Cendrey*
P1625. Le Livre noir de la condition des femmes
Christine Ockrent (dir.)
P1626. Comme deux frères, *Jean-François Kahn et Axel Kahn*
P1627. Equador, *Miguel Sousa Tavares*
P1628. Du côté où se lève le soleil, *Anne-Sophie Jacouty*

P1629. L'Affaire Hamilton, *Michelle De Kretser*
P1630. Une passion indienne, *Javier Moro*
P1631. La Cité des amants perdus, *Nadeem Aslam*
P1632. Rumeurs de haine, *Taslima Nasreen*
P1633. Le Chromosome de Calcutta, *Amitav Ghosh*
P1634. Show business, *Shashi Tharoor*
P1635. La Fille de l'arnaqueur, *Ed Dee*
P1636. En plein vol, *Jan Burke*
P1637. Retour à la Grande Ombre, *Hakan Nesser*
P1638. Wren. Les Descendants de Merlin I, *Irene Radford*
P1639. Petit manuel de savoir-vivre à l'usage des enseignants
Boris Seguin, Frédéric Teillard
P1640. Les Voleurs d'écritures *suivi de* Les Tireurs d'étoiles
Azouz Begag
P1641. L'Empreinte des dieux. Le Cycle de Mithra I
Rachel Tanner
P1642. Enchantement, *Orson Scott Card*
P1643. Les Fantômes d'Ombria, *Patricia A. McKillip*
P1644. La Main d'argent. Le Chant d'Albion II
Stephen Lawhead
P1645. La Quête de Nifft-le-mince, *Michael Shea*
P1646. La Forêt d'Iscambe, *Christian Charrière*
P1647. La Mort du Nécromant, *Martha Wells*
P1648. Si la gauche savait, *Michel Rocard*
P1649. Misère de la Ve République, *Bastien François*
P1650. Photographies de personnalités politiques
Raymond Depardon
P1651. Poèmes païens de Alberto Caeiro et Ricardo Reis
Fernando Pessoa
P1652. La Rose de personne, *Paul Celan*
P1653. Caisse claire, poèmes 1990-1997, *Antoine Emaz*
P1654. La Bibliothèque du géographe, *Jon Fasman*
P1655. Parloir, *Christian Giudicelli*
P1656. Poils de Cairote, *Paul Fournel*
P1657. Palimpseste, *Gore Vidal*
P1658. L'Épouse hollandaise, *Eric McCormack*
P1659. Ménage à quatre, *Manuel Vázquez Montalbán*
P1660. Milenio, *Manuel Vázquez Montalbán*
P1661. Le Meilleur de nos fils, *Donna Leon*
P1662. Adios Hemingway, *Leonardo Padura*
P1663. L'avenir c'est du passé, *Lucas Fournier*
P1664. Le Dehors et le Dedans, *Nicolas Bouvier*
P1665. Partition rouge.
Poèmes et chants des indiens d'Amérique du Nord
Jacques Roubaud, Florence Delay
P1666. Un désir fou de danser, *Elie Wiesel*

P1667. Lenz, *Georg Büchner*
P1668. Resmiranda. Les Descendants de Merlin II
Irene Radford
P1669. Le Glaive de Mithra. Le Cycle de Mithra II
Rachel Tanner
P1670. Phénix vert. Trilogie du Latium I, *Thomas B. Swann*
P1671. Essences et parfums, *Anny Duperey*
P1672. Naissances, *Collectif*
P1673. L'Évangile une parole invincible, *Guy Gilbert*
P1674. L'Époux divin, *Francisco Goldman*
P1675. La Comtesse de Pimbêche
et autres étymologies curieuses, *Pierre Larousse*
P1676. Les Mots qui me font rire
et autres cocasseries de la langue française
Jean-Loup Chiflet
P1677. Les carottes sont jetées.
Quand les expressions perdent la boule
Olivier Marchon
P1678. Le Retour du professeur de danse, *Henning Mankell*
P1679. Romanzo Criminale, *Giancarlo de Cataldo*
P1680. Ciel de sang, *Steve Hamilton*
P1681. Ultime Témoin, *Jilliane Hoffman*
P1682. Los Angeles, *Peter Moore Smith*
P1683. Encore une journée pourrie
ou 365 bonnes raisons de rester couché, *Pierre Enckell*
P1684. Chroniques de la haine ordinaire 2, *Pierre Desproges*
P1685. Desproges, portrait, *Marie-Ange Guillaume*
P1686. Les Amuse-Bush, *Collectif*
P1687. Mon valet et moi, *Hervé Guibert*
P1688. T'es pas mort !, *Antonio Skármeta*
P1689. En la forêt de Longue Attente.
Le roman de Charles d'Orléans, *Hella S. Haasse*
P1690. La Défense Lincoln, *Michael Connelly*
P1691. Flic à Bangkok, *Patrick Delachaux*
P1692. L'Empreinte du renard, *Moussa Konaté*
P1693. Les fleurs meurent aussi, *Lawrence Block*
P1694. L'Ultime Sacrilège, *Jérôme Bellay*
P1695. Engrenages, *Christopher Wakling*
P1696. La Sœur de Mozart, *Rita Charbonnier*
P1697. La Science du baiser, *Patrick Besson*
P1698. La Domination du monde, *Denis Robert*
P1699. Minnie, une affaire classée, *Hans Werner Kettenbach*
P1700. Dans l'ombre du Condor, *Jean-Paul Delfino*
P1701. Le Nœud sans fin. Le Chant d'Albion III
Stephen Lawhead
P1702. Le Feu primordial, *Martha Wells*

P1703. Le Très Corruptible Mandarin, *Qiu Xiaolong*
P1704. Dexter revient !, *Jeff Lindsay*
P1705. Vous plaisantez, monsieur Tanner, *Jean-Paul Dubois*
P1706. À Garonne, *Philippe Delerm*
P1707. Pieux mensonges, *Maile Meloy*
P1708. Chercher le vent, *Guillaume Vigneault*
P1709. Les Pierres du temps et autres poèmes, *Tahar Ben Jelloun*
P1710. René Char, *Éric Marty*
P1711. Les Dépossédés
Robert McLiam Wilson et Donovan Wylie
P1712. Bob Dylan à la croisée des chemins. Like a Rolling Stone
Greil Marcus
P1713. Comme une chanson dans la nuit
suivi de Je marche au bras du temps, *Alain Rémond*
P1714. Où les borgnes sont rois, *Jess Walter*
P1715. Un homme dans la poche, *Aurélie Filippetti*
P1716. Prenez soin du chien, *J. M. Erre*
P1717. La Photo, *Marie Desplechin*
P1718. À ta place, *Karine Reysset*
P1719. Je pense à toi tous les jours, *Hélèna Villovitch*
P1720. Si petites devant ta face, *Anne Brochet*
P1721. Ils s'en allaient faire des enfants ailleurs
Marie-Ange Guillaume
P1722. Le Jugement de Léa, *Laurence Tardieu*
P1723. Tibet or not Tibet, *Péma Dordjé*
P1724. La Malédiction des ancêtres, *Kirk Mitchell*
P1725. Le Tableau de l'apothicaire, *Adrian Mathews*
P1726. Out, *Natsuo Kirino*
P1727. La Faille de Kaïber. Le Cycle des Ombres I
Mathieu Gaborit
P1728. Griffin. Les Descendants de Merlin III, *Irene Radford*
P1729. Le Peuple de la mer. Le Cycle du Latium II
Thomas B. Swann
P1730. Sexe, mensonges et Hollywood, *Peter Biskind*
P1731. Qu'avez-vous fait de la révolution sexuelle ?
Marcela Iacub
P1732. Persée, prince de la lumière. Le Châtiment des dieux III
François Rachline
P1733. Bleu de Sèvres, *Jean-Paul Desprat*
P1734. Julius et Isaac, *Patrick Besson*
P1735. Une petite légende dorée, *Adrien Goetz*
P1736. Le Silence de Loreleï, *Carolyn Parkhurst*
P1737. Déposition, *Leon Werth*
P1738. La Vie comme à Lausanne, *Erik Orsenna*
P1739. L'Amour, toujours !, *Abbé Pierre*
P1740. Henri ou Henry, *Didier Decoin*

P1741. Mangez-moi, *Agnès Desarthe*
P1742. Mémoires de porc-épic, *Alain Mabanckou*
P1743. Charles, *Jean-Michel Béquié*
P1744. Air conditionné, *Marc Vilrouge*
P1745. L'Homme qui apprenait lentement, *Thomas Pynchon*
P1746. Extrêmement fort et incroyablement près
Jonathan Safran Foer
P1747. La Vie rêvée de Sukhanov, *Olga Grushin*
P1748. Le Retour du Hooligan, *Norman Manea*
P1749. L'Apartheid scolaire, *G. Fellouzis & Cie*
P1750. La Montagne de l'âme, *Gao Xingjian*
P1751. Les Grands Mots du professeur Rollin
Panacée, ribouldingue et autres mots à sauver
Le Professeur Rollin
P1752. Dans les bras de Morphée
Histoire des expressions nées de la mythologie
Isabelle Korda
P1753. Parlez-vous la langue de bois ?
Petit traité de manipulation à l'usage des innocents
Martine Chosson
P1754. Je te retrouverai, *John Irving*
P1755. L'Amant en culottes courtes, *Alain Fleischer*
P1756. Billy the Kid, *Michael Ondaatje*
P1757. Le Fou de Printzberg, *Stéphane Héaume*
P1758. La Paresseuse, *Patrick Besson*
P1759. Bleu blanc vert, *Maïssa Bey*
P1760. L'Été du sureau, *Marie Chaix*
P1761. Chroniques du crime, *Michael Connelly*
P1762. Le croque-mort enfonce le clou, *Tim Cockey*
P1763. La Ligne de flottaison, *Jean Hatzfeld*
P1764. Le Mas des alouettes, Il était une fois en Arménie
Antonia Arslan
P1765. L'Œuvre des mers, *Eugène Nicole*
P1766. Les Cendres de la colère. Le Cycle des Ombres II
Mathieu Gaborit
P1767. La Dame des abeilles. Le Cycle du latium III
Thomas B. Swann
P1768. L'Ennemi intime, *Patrick Rotman*
P1769. Nos enfants nous haïront
Denis Jeambar & Jacqueline Remy
P1770. Ma guerre contre la guerre au terrorisme
Terry Jones
P1771. Quand Al-Quaïda parle, *Farhad Khosrokhavar*
P1772. Les Armes secrètes de la C.I.A., *Gordon Thomas*
P1773. Asphodèle suivi de Tableaux d'après Bruegel
William Carlos Williams

P1774. Poésie espagnole 1945-1990 (anthologie)
Claude de Frayssinet
P1775. Mensonges sur le divan, *Irvin D. Yalom*
P1776. Le Cycle de Deverry. Le Sortilège de la dague I
Katharine Kerr
P1777. La Tour de guet *suivi des* Danseurs d'Arun.
Les Chroniques de Tornor I, *Elisabeth Lynn*
P1778. La Fille du Nord, Les Chroniques de Tornor II
Elisabeth Lynn
P1779. L'Amour humain, *Andreï Makine*
P1780. Viol, une histoire d'amour, *Joyce Carol Oates*
P1781. La Vengeance de David, *Hans Werner Kettenbach*
P1782. Le Club des conspirateurs, *Jonathan Kellerman*
P1783. Sanglants trophées, *C. J. Box*
P1784. Une ordure, *Irvine Welsh*
P1785. Owen Noone et Marauder, *Douglas Cowie*
P1786. L'Autre Vie de Brian, *Graham Parker*
P1787. Triksta, *Nick Cohn*
P1788. Une histoire politique du journalisme
Géraldine Muhlmann
P1789. Les Faiseurs de pluie.
L'histoire et l'impact futur du changement climatique
Tim Flannery
P1790. La Plus Belle Histoire de l'amour, *Dominique Simonnet*
P1791. Poèmes et proses, *Gerard Manley Hopkins*
P1792. Lieu-dit l'éternité, poèmes choisis, *Emily Dickinson*
P1793. La Couleur bleue, *Jörg Kastner*
P1794. Le Secret de l'imam bleu, *Bernard Besson*
P1795. Tant que les arbres s'enracineront
dans la terre et autres poèmes, *Alain Mabanckou*
P1796. Cité de Dieu, *E. L. Doctorow*
P1797. Le Script, *Rick Moody*
P1798. Raga, approche du continent invisible, *J.M.G. Le Clézio*
P1799. Katerina, *Aharon Appefeld*
P1800. Une opérette à Ravensbrück, *Germaine Tillion*
P1801. Une presse sans Gutenberg,
Pourquoi Internet a révolutionné le journalisme
Bruno Patino et Jean-François Fogel
P1802. Arabesques. L'aventure de la langue en Occident
Henriette Walter et Bassam Baraké
P1803. L'Art de la ponctuation. Le point, la virgule
et autres signes fort utiles
Olivier Houdart et Sylvie Prioul
P1804. À mots découverts. Chroniques au fil de l'actualité
Alain Rey
P1805. L'Amante du pharaon, *Naguib Mahfouz*